사고력 수학 소마가 개발한 연산학습의 새 기준!!

소마의 **마**술같은 원리셈

소마셈

C1
3학년

수학이 즐거워지는 특별한 수학교실
소마에서 개발한 연산교재 소마셈 **소마셈**

2002년 대치소마 개원 이후로 끊임없는 교재 연구와 교구의 개발은 소마의 자랑이자 자부심입니다. 교구, 게임, 토론 등의 다양한 활동식 수업으로 스스로 문제해결능력을 키우고, 아이들이 수학에 대한 흥미와 자신감을 가질 수 있도록 차별성 있는 수업을 해 온 소마에서 연산 학습의 새로운 패러다임을 제시합니다.

연산 교육의 현실

연산 교육의 가장 큰 폐해는 '초등 고학년 때 연산이 빠르지 않으면 고생한다.'는 기존 연산 학습지의 왜곡된 마케팅으로 인해 단순 반복을 통한 기계적 연산을 강조하는 것입니다. 하지만, 기계적 반복을 위주로 하는 연산은 개념과 원리가 빠진 연산 학습으로써 아이들이 수학을 싫어하게 만들 뿐 아니라 사고의 확장을 막는 학습방법입니다.

초등수학 교과과정과 연산

초등교육과정에서는 문자와 기호를 사용하지 않고 말로 풀어서 연산의 개념과 원리를 설명하다가 중등교육과정부터 문자와 기호를 사용합니다. 교과서를 살펴보면 모든 연산의 도입에 원리가 잘 설명되어 있습니다. 요즘 현실에서는 연산의 원리를 묻는 서술형 문제도 많이 출제되고 있는데 연산은 연습이 우선이라는 인식이 아직도 지배적입니다.

연산 학습은 어떻게?

연산 교육은 별도로 떼어내어 추상적인 숫자나 기호만 가지고 다뤄서는 절대로 안됩니다. 구체물을 가지고 생각하고 이해한 후, 연산 연습을 하는 것이 필요합니다. 또한, 속도보다 정확성을 위주로 학습하여 실수를 극복할 수 있는 좋은 습관을 갖추는 데에 초점을 맞춰야 합니다.

소마셈 연산학습 방법

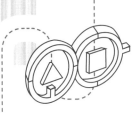

10이 넘는 한 자리 덧셈　　　**구체물을 통한 개념의 이해**

덧셈과 뺄셈의 기본은 수를 세는 데에 있습니다. 8+4는 8에서 1씩 4번을 더 센 것이라는 개념이 중요합니다. 10의 보수를 이용한 받아 올림을 생각하면 8+4는 (8+2)+2지만 연산 공부를 시작할 때에는 덧셈의 기본 개념에 충실한 것이 좋습니다. 이 책은 구체물을 통해 개념을 이해할 수 있도록 구체적인 예를 든 연산 문제로 구성하였습니다.

가로셈　　　**가로셈을 통한 수에 대한 사고력 기르기**

세로셈이 잘못된 방법은 아니지만 연산의 원리는 잊고 받아 올림한 숫자는 어디에 적어야 하는지만을 기억하여 마치 공식처럼 풀게 합니다. 기계적으로 반복하는 연습은 생각없이 연산을 하게 만듭니다. 가로셈을 통해 원리를 생각하고 수를 쪼개고 붙이는 등의 과정에서 키워질 수 있는 수에 대한 사고력도 매우 중요합니다.

곱셈구구　　　**곱셈도 개념 이해를 바탕으로**

곱셈구구는 암기에만 초점을 맞추면 부작용이 큽니다. 곱셈은 덧셈을 압축한 것이라는 원리를 이해하며 구구단을 외움으로써 연산을 빨리 할 수 있다는 것을 알게 해야 합니다. 곱셈구구를 외우는 것도 중요하지만 곱셈의 의미를 정확하게 아는 것이 더 중요합니다. 4×3을 할 줄 아는 학생이 두 자리 곱하기 한 자리는 안 배워서 45×3을 못 한다고 말하는 일은 없도록 해야 합니다.

소마셈 학습가이드

K단계 (5, 6, 7세) • 연산을 시작하는 단계

뛰어세기, 거꾸로 뛰어세기를 통해 수의 연속한 성질(linearity)을 이해하고 덧셈, 뺄셈을 공부합니다. 각 권의 호흡은 짧지만 일관성 있는 접근으로 자연스럽게 나선형식 반복학습의 효과가 있도록 하였습니다.

학습대상 : 연산을 시작하는 아이와 한 자리 수 덧셈을 구체물(손가락 등)을 이용하여 해결하는 아이
학습목표 : 수와 연산의 튼튼한 기초 만들기

P단계 (7세, 1학년) • 받아올림이 있는 덧셈, 뺄셈을 배울 준비를 하는 단계

5, 6, 9 뛰어세기를 공부하면서 10을 이용한 더하기, 빼기의 편리함을 알도록 한 후, 가르기와 모으기의 집중학습으로 보수 익히기, 10의 보수를 이용한 덧셈, 뺄셈의 원리를 공부합니다.

학습대상 : 받아올림이 없는 한 자리 수의 덧셈을 할 줄 아는 학생
학습목표 : 받아올림이 있는 연산의 토대 만들기

A단계 (1학년) • 초등학교 1학년 교과과정 연산

받아올림이 있는 한 자리 수의 덧셈, 뺄셈은 연산 전체에 매우 중요한 단계입니다. 원리를 정확하게 알고 A1에서 A4까지 총 4권에서 한 자리 수의 연산을 다양한 과정으로 연습하도록 하였습니다.

학습대상 : 초등학교 1학년 수학교과과정을 공부하는 학생
학습목표 : 10의 보수를 이용한 받아올림이 있는 덧셈, 뺄셈

B단계 (2학년) • 초등학교 2학년 교과과정 연산

두 자리, 세 자리 수의 연산을 다룬 후 곱셈, 나눗셈을 다루는 과정에서 곱셈구구의 암기를 확인하기보다는 곱셈구구를 외우는데 도움이 되고, 곱셈, 나눗셈의 원리를 확장하여 사고할 수 있도록 하는데 초점을 맞추었습니다.

학습대상 : 초등학교 2학년 수학교과과정을 공부하는 학생
학습목표 : 덧셈, 뺄셈의 완성 / 곱셈, 나눗셈의 원리를 정확하게 알고 개념 확장

C단계 (3학년) • 초등학교 3, 4학년 교과과정 연산

B단계까지의 소마셈은 다양한 문제를 통해서 학생들이 즐겁게 연산을 공부하고 원리를 정확하게 알게 하는데 초점을 맞추었다면, C단계는 3학년 과정의 큰 수의 연산과 4학년 과정의 혼합 계산, 괄호를 사용한 식 등, 필수 연산의 연습을 충실히 할 수 있도록 하였습니다.

학습대상 : 초등학교 3, 4학년 수학교과과정을 공부하는 학생
학습목표 : 큰 수의 곱셈과 나눗셈, 혼합 계산

D단계 (4학년) • 초등학교 4, 5학년 교과과정 연산

분모가 같은 분수의 덧셈과 뺄셈, 소수의 덧셈과 뺄셈을 공부하여 초등 4학년 과정 연산을 마무리하고 초등 5학년 연산과정에서 가장 중요한 약수와 배수, 분모가 다른 분수의 덧셈과 뺄셈을 충분히 익힐 수 있도록 하였습니다.

학습대상 : 초등학교 4, 5학년 수학교과과정을 공부하는 학생
학습목표 : 분모가 같은 분수의 덧셈과 뺄셈, 소수의 덧셈과 뺄셈, 분모가 다른 분수의 덧셈과 뺄셈

소마셈 단계별 학습내용

K단계 추천연령 : 5, 6, 7세

단계	K1	K2	K3	K4
권별 주제	10까지의 더하기와 빼기 1	20까지의 더하기와 빼기 1	10까지의 더하기와 빼기 2	20까지의 더하기와 빼기 2
단계	K5	K6	K7	K8
권별 주제	10까지의 더하기와 빼기 3	20까지의 더하기와 빼기 3	20까지의 더하기와 빼기 4	7까지의 가르기와 모으기

P단계 추천연령 : 7세, 1학년

단계	P1	P2	P3	P4
권별 주제	30까지의 더하기와 빼기 5	30까지의 더하기와 빼기 6	30까지의 더하기와 빼기 10	30까지의 더하기와 빼기 9
단계	P5	P6	P7	P8
권별 주제	9까지의 가르기와 모으기	10 가르기와 모으기	10을 이용한 더하기	10을 이용한 빼기

A단계 추천연령 : 1학년

단계	A1	A2	A3	A4
권별 주제	덧셈구구	뺄셈구구	세 수의 덧셈과 뺄셈	□가 있는 덧셈과 뺄셈
단계	A5	A6	A7	A8
권별 주제	(두 자리 수) + (한 자리 수)	(두 자리 수) − (한 자리 수)	두 자리 수의 덧셈과 뺄셈	□가 있는 두 자리 수의 덧셈과 뺄셈

B단계 추천연령 : 2학년

단계	B1	B2	B3	B4
권별 주제	(두 자리 수) + (두 자리 수)	(두 자리 수) − (두 자리 수)	세 자리 수의 덧셈과 뺄셈	덧셈과 뺄셈의 활용
단계	B5	B6	B7	B8
권별 주제	곱셈	곱셈구구	나눗셈	곱셈과 나눗셈의 활용

C단계 추천연령 : 3학년

단계	C1	C2	C3	C4
권별 주제	두 자리 수의 곱셈	두 자리 수의 곱셈과 활용	두 자리 수의 나눗셈	세 자리 수의 나눗셈과 활용
단계	C5	C6	C7	C8
권별 주제	큰 수의 곱셈	큰 수의 나눗셈	혼합 계산	혼합 계산의 활용

D단계 추천연령 : 4학년

단계	D1	D2	D3	D4
권별 주제	분모가 같은 분수의 덧셈과 뺄셈(1)	분모가 같은 분수의 덧셈과 뺄셈(2)	소수의 덧셈과 뺄셈	약수와 배수
단계	D5	D6		
권별 주제	분모가 다른 분수의 덧셈과 뺄셈(1)	분모가 다른 분수의 덧셈과 뺄셈(2)		

구성과 특징

① 수 이야기

생활 속의 수 이야기를 통해 수와 연산의 이해를 돕습니다. 수의 역사나 재미있는 연산 문제를 접하면서 수학이 재미있는 공부가 되도록 합니다.

② 원리

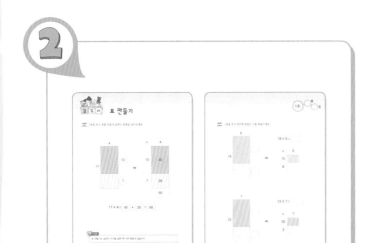

가장 기본적인 연산의 원리를 소개합니다. 이때 다양한 방법을 제시하되 가장 효과적인 방법을 적용할 수 있도록 단계적으로 접근하여 충분한 원리의 이해를 돕습니다.

연습

원리의 이해를 바탕으로 연산이 익숙해 지도록 연습합니다. 먼저 반복적인 연산 연습 후에 나아가 배운 원리를 활용하여 확장된 문제를 해결합니다.

Drill (보충학습)

주차별 주제에 대한 연습이 더 필요한 경우 보충학습을 활용합니다.

TIP 연산과정의 확인이 필수적인 주제는 Drill 의 양을 2배로 담았습니다.

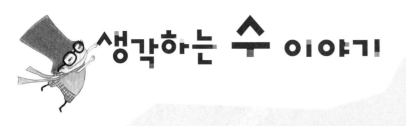

십진법과 자릿값

1이 열개 모여야 두 자리 수 10이 된다는 사실을 모르는 이는 없지요?

우리는 너무 당연하게 여기지만, 사실 그 이유는 우리가 '십진법'을 사용하기 때문이에요.

이것은 우리가 자연수 연산을 할 때, 자릿값과도 관련이 있답니다.

십진법에 따른 자릿값의 원리는 하나씩 열이면 10, 열씩 열이면 100, 백씩 열이면 1000인 것과 같이 한 자리가 올라가면 10배씩 커지게 되는 것이지요.

그래서 숫자의 위치는 그 위치에 있는 수의 값을 결정하게 되요. 같은 숫자라 하더라도 숫자의 자리에 따라 그 값이 달라지는 것이에요.

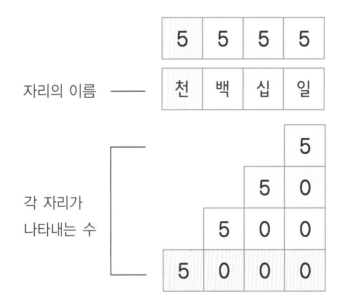

또한 수는 자릿값의 원리에 의해 합으로 나타낼 수 있어요. 예를 들어 위와 같이 5555는 5000+500+50+5로 나타낼 수 있겠지요.

십진법과 자릿값의 원리를 이해하면 자연수 연산을 쉽게 할 수 있답니다.

소마셈 C1 - 1주차

(두 자리 수) × (한 자리 수) (1)

몇십의 곱

 그림을 보고 몇십의 곱을 해 보세요.

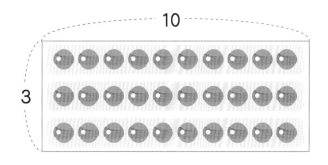

$10 + 10 + 10 =$ 　30

$10 \times 3 =$ 　3 0

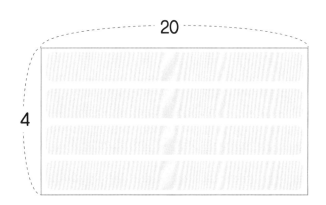

$20 + 20 + 20 + 20 =$

$20 \times 4 =$

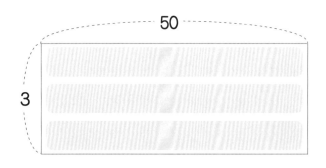

$50 + 50 + 50 =$

$50 \times 3 =$

TIP

(몇십)×(몇)의 값은 (몇)×(몇)의 계산 결과의 뒤에 0을 1개 붙이면 됩니다.

□ 안에 알맞은 수를 써넣으세요.

$20 + 20 = \boxed{40}$

$20 \times \boxed{2} = \boxed{4}\,\boxed{0}$

$60 + 60 + 60 + 60 + 60 + 60 = \boxed{}$

$60 \times \boxed{} = \boxed{}$

$70 + 70 + 70 = \boxed{}$

$70 \times \boxed{} = \boxed{}$

$40 + 40 + 40 + 40 + 40 = \boxed{}$

$40 \times \boxed{} = \boxed{}$

$50 + 50 + 50 + 50 = \boxed{}$

$50 \times \boxed{} = \boxed{}$

$80 + 80 + 80 + 80 = \boxed{}$

$80 \times \boxed{} = \boxed{}$

□ 안에 알맞은 수를 써넣으세요.

$20 \times 7 =$ | 1 | 4 | 0 |

$10 \times 7 =$

$30 \times 2 =$

$20 \times 5 =$

$10 \times 6 =$

$40 \times 4 =$

$50 \times 2 =$

$40 \times 7 =$

$40 \times 8 =$

$60 \times 2 =$

$20 \times 8 =$

$70 \times 3 =$

갈라서 더하기

 그림을 보고 몇십 몇을 갈라서 더하는 방법을 알아보고, 빈칸에 알맞은 수를 써넣으세요.

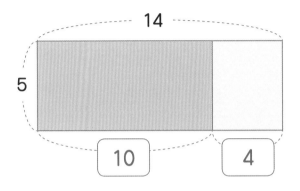

$14 \times 5 = \boxed{70}$

$\boxed{10} \times 5 = \boxed{50}$

$\boxed{4} \times 5 = \boxed{20}$

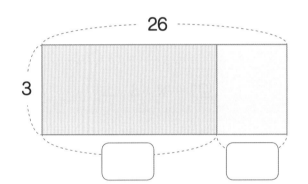

$26 \times 3 = \boxed{}$

$\boxed{} \times 3 = \boxed{}$

$\boxed{} \times 3 = \boxed{}$

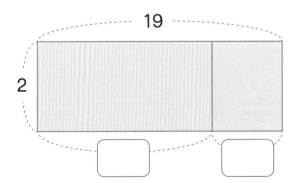

$19 \times 2 = \boxed{}$

$\boxed{} \times 2 = \boxed{}$

$\boxed{} \times 2 = \boxed{}$

TIP

(몇십 몇)×(몇)의 계산은 (몇십 몇)을 (몇십)과 (몇)으로 가르기하여 각각 곱한 후 더합니다.

 빈칸에 알맞은 수를 써넣으세요.

14 × 5 = 70
10 × 5 = 50
4 × 5 = 20

12 × 8 = ☐
☐ × 8 = ☐
☐ × 8 = ☐

15 × 5 = ☐
☐ × 5 = ☐
☐ × 5 = ☐

21 × 4 = ☐
☐ × 4 = ☐
☐ × 4 = ☐

28 × 3 = ☐
☐ × 3 = ☐
☐ × 3 = ☐

36 × 2 = ☐
☐ × 2 = ☐
☐ × 2 = ☐

월

일

 빈칸에 알맞은 수를 써넣으세요.

26 × 6 = 156

20 × 6 = 120

6 × 6 = 36

22 × 7 =

□ × 7 =

□ × 7 =

34 × 5 =

□ × 5 =

□ × 5 =

18 × 7 =

□ × 7 =

□ × 7 =

25 × 3 =

□ × 3 =

□ × 3 =

38 × 3 =

□ × 3 =

□ × 3 =

3 일 차 표 만들기

 그림을 보고 표를 만들어 곱하는 방법을 알아보세요.

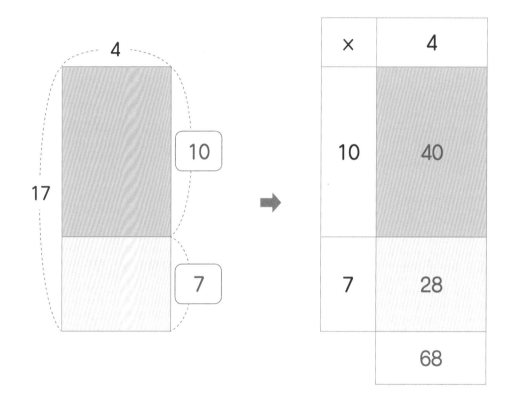

×	4
10	40
7	28
	68

$$17 \times 4 = \boxed{40} + \boxed{28} = \boxed{68}$$

TIP

표 만들기는 갈라서 각각을 곱한 후 더한 방법과 같습니다.

그림을 보고 빈칸에 알맞은 수를 써넣으세요.

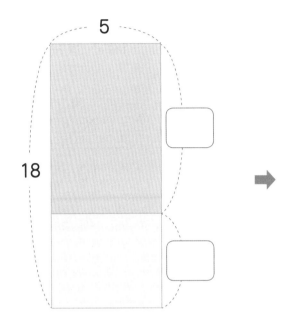

$18 \times 5 =$ ☐

×	5
10	
8	

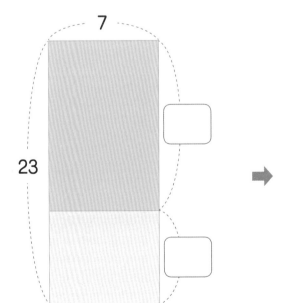

$23 \times 7 =$ ☐

×	7
20	
3	

 빈칸에 알맞은 수를 써넣으세요.

13 × 6 = [78]

×	6
10	60
3	18
	78

16 × 8 = [ ]

×	8
10	
6	

14 × 9 = [ ]

×	9
10	
4	

17 × 7 = [ ]

×	7
10	
7	

25 × 4 = [ ]

×	4
20	
5	

23 × 8 = [ ]

×	8
20	
3	

 빈칸에 알맞은 수를 써넣으세요.

32 × 7 = 224   24 × 8 =   37 × 5 =

×	7
30	210
2	14
	224

×	8
20	
4	

×	5
30	
7	

25 × 5 =   43 × 6 =   39 × 7 =

×	5
20	
5	

×	6
40	
3	

×	7
30	
9	

세로셈 (1)

 각 자리의 위치를 맞추어 빈칸에 알맞은 수를 써넣으세요.

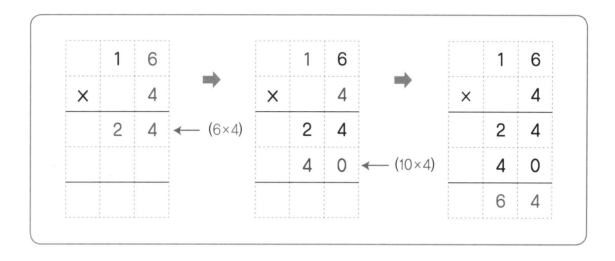

	1	6
×		4
	2	4	← (6×4)

➡

	1	6
×		4
	2	4
	4	0	← (10×4)

➡

	1	6
×		4
	2	4
	4	0
	6	4

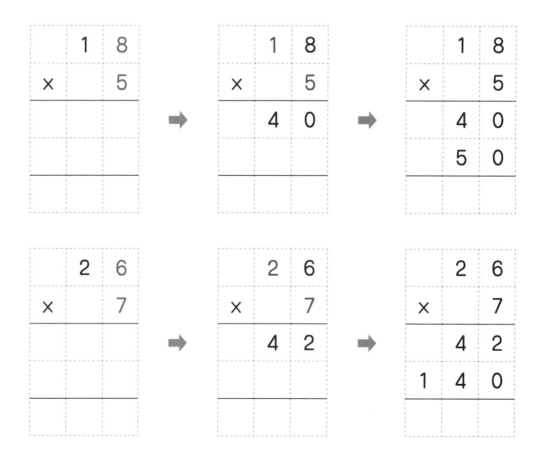

	1	8
×		5

➡

	1	8
×		5
	4	0

➡

	1	8
×		5
	4	0
	5	0

	2	6
×		7

➡

	2	6
×		7
	4	2

➡

	2	6
×		7
	4	2
1	4	0

빈칸에 알맞은 수를 써넣으세요.

```
      1  5
  ×      7
  ─────────
      3  5   ← (5×7)
      7  0   ← (10×7)
  ─────────
  1   0  5
```

```
      1  8
  ×      6
  ─────────
```

```
      2  4
  ×      5
  ─────────
```

```
      2  9
  ×      3
  ─────────
```

```
      3  5
  ×      8
  ─────────
```

```
      1  7
  ×      7
  ─────────
```

```
      2  6
  ×      5
  ─────────
```

```
      1  9
  ×      5
  ─────────
```

```
      3  4
  ×      8
  ─────────
```

 빈칸에 알맞은 수를 써넣으세요.

	2	6
×		7
	4	2
1	4	0
1	8	2

← (6×7)
← (20×7)

	1	9
×		9

	2	3
×		6

	2	8
×		7

	3	5
×		5

	1	2
×		9

	3	4
×		5

	4	1
×		7

	4	6
×		3

세로셈 (2)

 각 자리의 위치를 맞추어 빈칸에 알맞은 수를 써넣으세요.

$$
\begin{array}{r}
1\ \ 6 \\
\times \quad\ \ 4 \\
\hline
\end{array}
\ \Rightarrow\
\begin{array}{r}
1\ \ 6 \\
\times\ 2\ \ 4 \\
\hline
4 \\
\end{array}
\ \Rightarrow\
\begin{array}{r}
1\ \ 6 \\
\times\ 2\ \ 4 \\
\hline
6\ \ 4 \\
\end{array}
$$

$6 \times 4 = 24$ $1 \times 4 + 2 = 6$

$$
\begin{array}{r}
1\ \ 9 \\
\times \quad\ \ 5 \\
\hline
\end{array}
\ \Rightarrow\
\begin{array}{r}
1\ \ 9 \\
\times\ \square\ \ 5 \\
\hline
\ \square\ \\
\end{array}
\ \Rightarrow\
\begin{array}{r}
1\ \ 9 \\
\times\ \square\ \ 5 \\
\hline
\square\ \square \\
\end{array}
$$

$$
\begin{array}{r}
2\ \ 6 \\
\times \quad\ \ 3 \\
\hline
\end{array}
\ \Rightarrow\
\begin{array}{r}
2\ \ 6 \\
\times\ \square\ \ 3 \\
\hline
\ \square\ \\
\end{array}
\ \Rightarrow\
\begin{array}{r}
2\ \ 6 \\
\times\ \square\ \ 3 \\
\hline
\square\ \square \\
\end{array}
$$

위의 방법은 4일차의 세로셈을 풀이하는 방법과 원리가 같습니다. 받아올림이 있는 경우 올림한 수는 윗자리 수의 곱과 더해서 계산합니다.

 빈칸에 알맞은 수를 써넣으세요.

```
    1 8              1 4              2 3
×  3 4           ×    9           ×    3
  ┌───────┐       ┌───────┐        ┌───────┐
  │ 7   2 │       │       │        │       │
  └───────┘       └───────┘        └───────┘
```

```
    2 6              3 1              3 4
×    6           ×    7           ×    3
  ┌───────┐       ┌───────┐        ┌───────┐
  │       │       │       │        │       │
  └───────┘       └───────┘        └───────┘
```

```
    2 7              2 9              4 3
×    8           ×    3           ×    3
  ┌───────┐       ┌───────┐        ┌───────┐
  │       │       │       │        │       │
  └───────┘       └───────┘        └───────┘
```

```
    3 8              4 3              2 4
×    2           ×    5           ×    8
  ┌───────┐       ┌───────┐        ┌───────┐
  │       │       │       │        │       │
  └───────┘       └───────┘        └───────┘
```

빈칸에 알맞은 수를 써넣으세요.

```
    3 3              2 3              1 8
×   1 6          ×     6          ×     6
─────────        ─────────        ─────────
  1 9 8          [       ]        [       ]
```

```
    4 4              3 5              5 3
×     2          ×     6          ×     8
─────────        ─────────        ─────────
[       ]        [       ]        [       ]
```

```
    3 9              5 3              2 4
×     3          ×     2          ×     3
─────────        ─────────        ─────────
[       ]        [       ]        [       ]
```

```
    4 0              2 8              6 6
×     9          ×     5          ×     3
─────────        ─────────        ─────────
[       ]        [       ]        [       ]
```

소마셈 C1 – 2주차

(두 자리 수) × (한 자리 수) (2)

1 일 차 곱셈표

 빈칸에 알맞은 수를 써넣으세요.

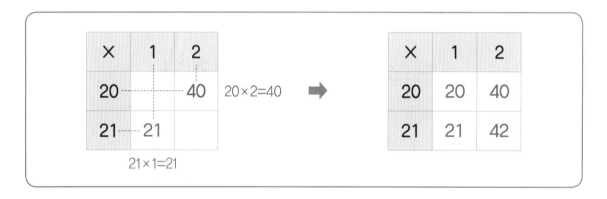

×	1	2	3
10			
11			
12			

×	1	2	3
13			
14			
15			

×	2	3	4
16			
17			
18			

×	2	3	4
19			
20			
21			

빈칸에 알맞은 수를 써넣으세요.

×	7	8
16		
17		

×	4	5
19		
20		

×	2	3	4
13			
14			
15			

×	4	5	6
10			
11			
12			

×	3	4	5
20			
21			
22			

×	5	6	7
30			
31			
32			

벌레 먹은 곱셈 (1)

 곱셈식의 일부분이 찢어져 보이지 않습니다. ☐ 안에 들어갈 알맞은 수를 모두 써 보세요.

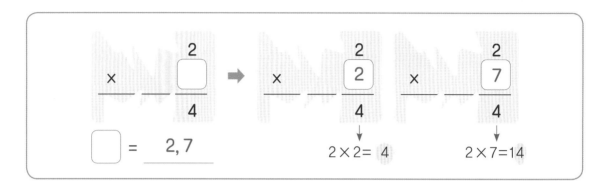

$$\times \quad \boxed{} \ 2$$
$$\overline{\qquad\quad 4}$$

☐ = 2, 7

$$\times \quad \boxed{2} \ 2$$
$$\overline{\qquad\quad 4}$$
$2 \times 2 = 4$

$$\times \quad \boxed{7} \ 2$$
$$\overline{\qquad\quad 4}$$
$2 \times 7 = 14$

$$\times \quad \boxed{} \ 2$$
$$\overline{\qquad\quad 2}$$

☐ = _____

$$\times \quad \boxed{} \ 2$$
$$\overline{\qquad\quad 6}$$

☐ = _____

$$\times \quad \boxed{} \ 2$$
$$\overline{\qquad\quad 8}$$

☐ = _____

$$\times \quad \boxed{} \ 4$$
$$\overline{\qquad\quad 8}$$

☐ = _____

$$\times \quad \boxed{} \ 4$$
$$\overline{\qquad\quad 6}$$

☐ = _____

$$\times \quad \boxed{} \ 4$$
$$\overline{\qquad\quad 2}$$

☐ = _____

 TIP

벌레 먹은 곱셈은 두 수의 곱의 끝자리 수(일의 자리 수)를 이용하여 풀이할 수 있습니다.
곱셈구구의 각 단이 곱에서 일의 자리 수가 무엇인지 생각해 봅니다.

곱셈식의 일부분이 찢어져 보이지 않습니다. □ 안에 들어갈 알맞은 수를 모두 써 보세요.

4
× □
―――
4

□ = 1, 6

6
× □
―――
2

□ = _____

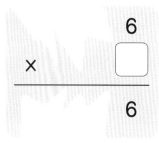
6
× □
―――
6

□ = _____

6
× □
―――
4

□ = _____

6
× □
―――
8

□ = _____

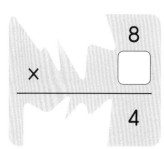
8
× □
―――
4

□ = _____

8
× □
―――
8

□ = _____

8
× □
―――
2

□ = _____

8
× □
―――
6

□ = _____

 곱셈식의 일부분이 찢어져 보이지 않습니다. □ 안에 들어갈 알맞은 수를 모두 써 보세요.

$$
\begin{array}{r} 7 \\ \times\ \square \\ \hline 2 \end{array}
\qquad
\begin{array}{r} 5 \\ \times\ \square \\ \hline 5 \end{array}
\qquad
\begin{array}{r} 3 \\ \times\ \square \\ \hline 2 \end{array}
$$

□ = _____   □ = _____   □ = _____

$$
\begin{array}{r} 3 \\ \times\ \square \\ \hline 8 \end{array}
\qquad
\begin{array}{r} 7 \\ \times\ \square \\ \hline 1 \end{array}
\qquad
\begin{array}{r} 7 \\ \times\ \square \\ \hline 9 \end{array}
$$

□ = _____   □ = _____   □ = _____

$$
\begin{array}{r} 9 \\ \times\ \square \\ \hline 7 \end{array}
\qquad
\begin{array}{r} 9 \\ \times\ \square \\ \hline 4 \end{array}
\qquad
\begin{array}{r} 9 \\ \times\ \square \\ \hline 1 \end{array}
$$

□ = _____   □ = _____   □ = _____

TIP

짝수와의 곱에서 일의 자리 수는 일정한 수가 반복되므로 □ 안에 들어갈 수는 여러 가지 경우가 있으나, 5를 제외한 홀수와의 곱에서 일의 자리 수는 모두 다르므로 □ 안에 들어갈 수는 한 가지씩입니다.

 빈칸에 알맞은 수를 써넣으세요.

```
    5  8              4  □              □  □
 ×     3           ×     9           ×     6
 ─────────         ─────────         ─────────
 1  7  4           4  □  5              7  8


    2  4              5  8              □  □
 ×                 ×                 ×     5
 ─────────         ─────────         ─────────
    7  2           5  □  2              6  0


    6  □              8  □              5  □
 ×     7           ×     5           ×     3
 ─────────         ─────────         ─────────
 4  □  1           2  □  5           1  □  8


    8  □              8  6              5  □
 ×     2           ×                 ×     2
 ─────────         ─────────         ─────────
    9  □           5  □  6           □  0  4
```

빈칸에 알맞은 수를 써넣으세요.

```
      7                2                  
  ×   4            ×   8            ×   3
 ─────────        ─────────        ─────────
  6                2       8        8   1
```

```
  5                                7   6
  ×   9            ×   7            ×
 ─────────        ─────────        ─────────
 4       7        2   3   8        3       0
```

```
  3   1                4            6
  ×                ×   3            ×   1
 ─────────        ─────────        ─────────
 2   7   9        1   3                 9
```

```
  3   7                8            2   8
  ×                ×   3            ×
 ─────────        ─────────        ─────────
 2       2        2   9            2       4
```

4 일 차 수 상자

 빈칸에 알맞은 수를 써넣으세요.

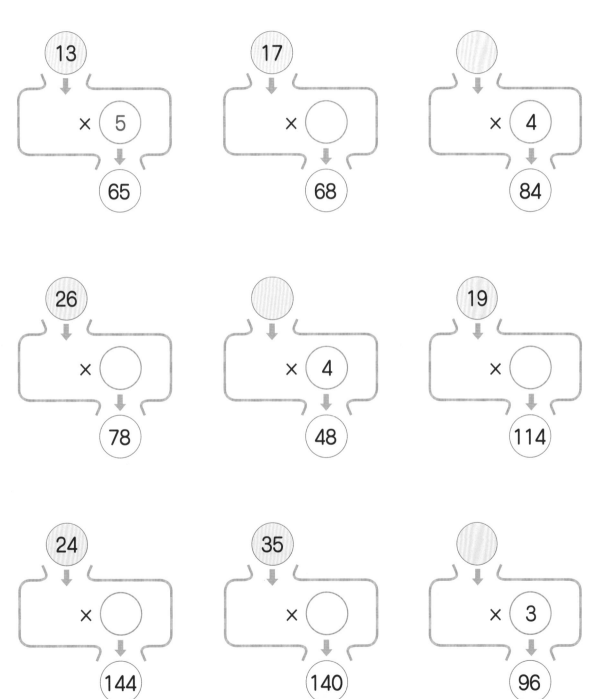

빈칸에 알맞은 수를 써넣으세요.

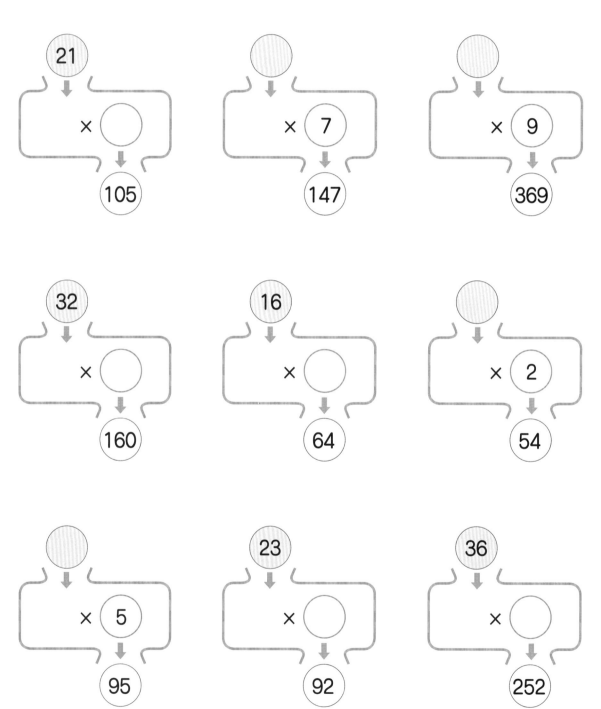

5 일 차 문장제

 다음을 읽고 알맞은 곱셈식을 쓰고 답을 구하세요.

승합차 한 대에는 12명이 탈 수 있습니다. 승합차 4대에는 모두 몇 명이 탈 수 있을까요?

식 : 12 × 4 = 48

명

길이가 31cm인 색 테이프가 6개 있습니다. 색 테이프를 겹치지 않게 이어 붙이면 길이는 모두 몇 cm일까요?

식 :

cm

31cm

 다음을 읽고 알맞은 곱셈식을 쓰고 답을 구하세요.

우유가 한 상자에 20개씩 들어 있습니다. 딸기 우유 2상자와 바나나 우유 3상자가 있다면 딸기 우유와 바나나 우유는 모두 몇 개일까요?

식 :

개

선생님께서 학생들에게 연필 7타와 9자루를 선물로 주려고 합니다. 필요한 연필은 모두 몇 자루일까요?

식 :

자루

다음을 읽고 알맞은 곱셈식을 쓰고, 답을 구하세요.

민주는 한 봉지에 25개씩 들어 있는 사탕을 3봉지 샀습니다. 민주가 가진 사탕은 모두 몇 개일까요?

식 : _____

개

사과가 한 상자에 32개씩 들어 있습니다. 엄마가 3상자를 사서 3개를 먹었다면 남은 사과는 모두 몇 개일까요?

식 : _____

개

책꽂이에 책들이 한 칸에 28권씩 꽂혀 있습니다. 그 중 위인전이 3칸, 동화책이 4칸에 꽂혀 있다면 책꽂이에 꽂혀 있는 책은 모두 몇 권일까요?

식 : _____

권

 다음을 읽고 알맞은 곱셈식을 쓰고, 답을 구하세요.

공책이 한 묶음에 40권씩 6묶음이 있습니다. 공책은 모두 몇 권일까요?

식 : _____

권

버스 한 대에는 34명이 탈 수 있습니다. 버스 2대에는 모두 몇 명이 탈 수 있을까요?

식 : _____

명

빨간 주머니에 구슬이 18개씩 9묶음 있습니다. 파란 주머니에는 빨간 주머니보다 구슬이 7개 더 있다면 파란 주머니에 담긴 구슬은 모두 몇 개일까요?

식 : _____

개

소마셈 C1 - 3주차

(세 자리 수) × (한 자리 수) (1)

몇백의 곱

 그림을 보고 몇백의 곱을 해 보세요.

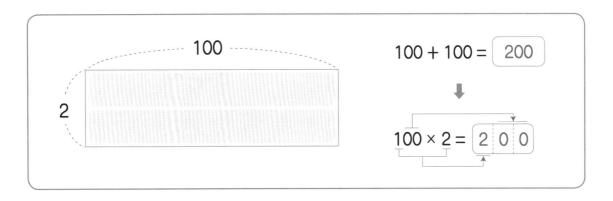

$$100 + 100 = \boxed{200}$$

$$100 \times 2 = \boxed{2}\;\boxed{0}\;\boxed{0}$$

$$100 + 100 + 100 = \boxed{}$$

$$100 \times 3 = \boxed{}$$

$$200 + 200 + 200 = \boxed{}$$

$$200 \times 3 = \boxed{}$$

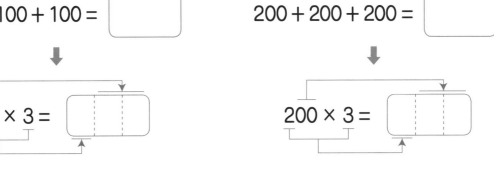

$$500 + 500 = \boxed{}$$

$$500 \times 2 = \boxed{}$$

$$400 + 400 + 400 = \boxed{}$$

$$400 \times 3 = \boxed{}$$

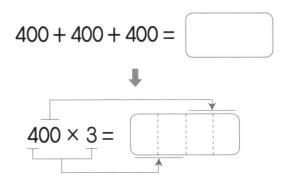

TIP

(몇백)×(몇)의 값은 (몇)×(몇)의 계산 결과의 뒤에 0을 2개 붙이면 됩니다.

□ 안에 알맞은 수를 써넣으세요.

200 × 4 = **8 0 0**

100 × 7 = [ ]

300 × 3 = [ ]

100 × 4 = [ ]

100 × 6 = [ ]

200 × 4 = [ ]

200 × 7 = [ ]

400 × 6 = [ ]

300 × 5 = [ ]

400 × 4 = [ ]

200 × 8 = [ ]

500 × 3 = [ ]

 갈라서 더하기

🌱 그림을 보고 몇백 몇십을 갈라서 더하는 방법을 알아보고, 빈칸에 알맞은 수를 써넣으세요.

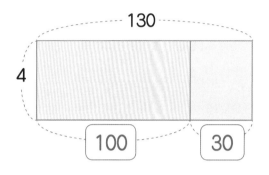

$130 \times 4 =$ 520

100 $\times 4 =$ 400

30 $\times 4 =$ 120

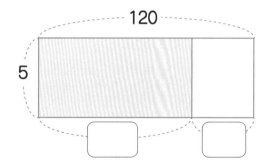

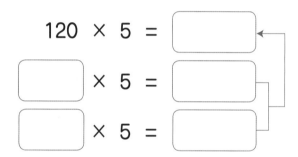

$120 \times 5 =$ ☐

☐ $\times 5 =$ ☐

☐ $\times 5 =$ ☐

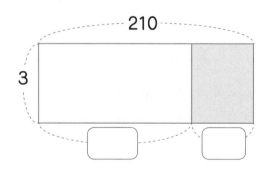

$210 \times 3 =$ ☐

☐ $\times 3 =$ ☐

☐ $\times 3 =$ ☐

(몇백 몇십)×(몇)의 계산은 (몇백 몇십)을 (몇백)과 (몇십)으로 가르기하여 각각 곱한 후 더합니다.

빈칸에 알맞은 수를 써넣으세요.

150 × 3 = 450 ←

100 × 3 = 300

50 × 3 = 150

170 × 3 = ☐ ←

☐ × 3 = ☐

☐ × 3 = ☐

190 × 4 = ☐ ←

☐ × 4 = ☐

☐ × 4 = ☐

230 × 6 = ☐ ←

☐ × 6 = ☐

☐ × 6 = ☐

260 × 2 = ☐ ←

☐ × 2 = ☐

☐ × 2 = ☐

320 × 2 = ☐ ←

☐ × 2 = ☐

☐ × 2 = ☐

빈칸에 알맞은 수를 써넣으세요.

270 × 4 = 1080

200 × 4 = 800

70 × 4 = 280

180 × 6 =

 × 6 =

 × 6 =

220 × 8 =

 × 8 =

 × 8 =

350 × 5 =

 × 5 =

 × 5 =

240 × 5 =

 × 5 =

 × 5 =

410 × 3 =

 × 3 =

 × 3 =

표 만들기

 그림을 보고 표를 만들어 곱하는 방법을 알아보세요.

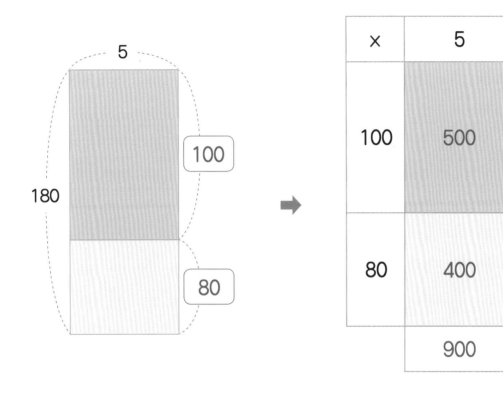

$$180 \times 5 = \boxed{500} + \boxed{400} = \boxed{900}$$

표 만들기는 갈라서 각각을 곱한 후 더한 방법과 같습니다.

 그림을 보고 빈칸에 알맞은 수를 써넣으세요.

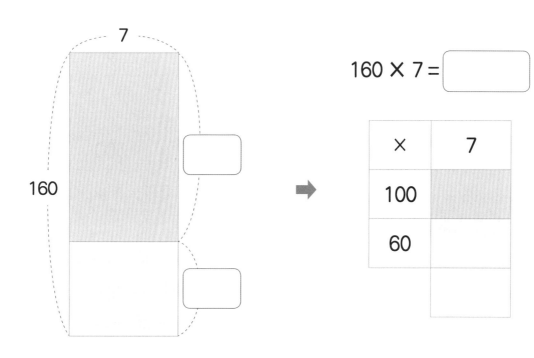

160 × 7 =

×	7
100	
60	

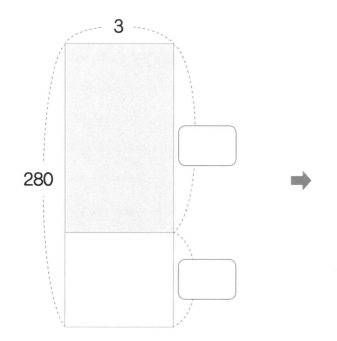

280 × 3 =

×	3
200	
80	

 빈칸에 알맞은 수를 써넣으세요.

140 × 6 = ☐ 840

120 × 9 = ☐

180 × 7 = ☐

×	6
100	600
40	240
	840

×	9
100	
20	

×	7
100	
80	

170 × 3 = ☐

220 × 6 = ☐

230 × 5 = ☐

×	3
100	
70	

×	6
200	
20	

×	5
200	
30	

 빈칸에 알맞은 수를 써넣으세요.

160 X 8 = ⬜ 1280

×	8
100	800
60	480
	1280

210 X 6 = ⬜

×	6
200	
10	

150 X 9 = ⬜

×	9
100	
50	

240 X 3 = ⬜

×	3
200	
40	

380 X 2 = ⬜

×	2
300	
80	

430 X 5 = ⬜

×	5
400	
30	

4일차 세로셈 (1)

 각 자리의 위치를 맞추어 빈칸에 알맞은 수를 써넣으세요.

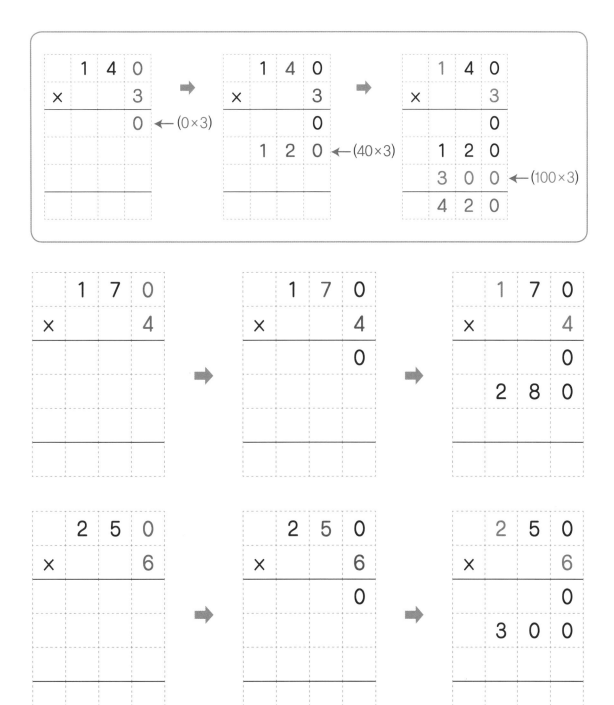

 빈칸에 알맞은 수를 써넣으세요.

```
      1  3  0
   ×        6
            0   ← (0×6)
      1  8  0   ← (30×6)
   6  0  0      ← (100×6)
   7  8  0
```

```
      1  7  0
   ×        4
```

```
      2  2  0
   ×        3
```

```
      1  4  0
   ×        8
```

```
      2  5  0
   ×        8
```

```
      1  8  0
   ×        3
```

```
      1  9  0
   ×        7
```

```
      1  6  0
   ×        5
```

```
      2  3  0
   ×        4
```

빈칸에 알맞은 수를 써넣으세요.

```
      2 1 0
  ×       6
  ─────────
          0  ← (0×6)
        6 0  ← (10×6)
  1 2 0 0    ← (200×6)
  ─────────
  1 2 6 0
```

```
      2 3 0
  ×       3
  ─────────
```

```
      1 8 0
  ×       6
  ─────────
```

```
      3 2 0
  ×       4
  ─────────
```

```
      2 7 0
  ×       9
  ─────────
```

```
      3 6 0
  ×       5
  ─────────
```

```
      2 8 0
  ×       2
  ─────────
```

```
      3 7 0
  ×       7
  ─────────
```

```
      4 5 0
  ×       8
  ─────────
```

세로셈 (2)

 각 자리의 위치를 맞추어 빈칸에 알맞은 수를 써넣으세요.

```
    2 4 0          2 4 0          2 4 0
  ×     3    →   ×   1 3    →   ×   1 3
  ─────────      ─────────      ─────────
        0              2 0          7 2 0
        ↓              ↓              ↓
    0×3=0          4×3=12        2×3+1= 7
```

```
    1 2 0          1 2 0          1 2 0
  ×     3    →   ×     3    →   ×     3
  ─────────      ─────────      ─────────
      [ ]          [ ][ ]       [ ][ ][ ]
```

```
    2 8 0          2 8 0          2 8 0
  ×     2    →   × [ ]  2   →   × [ ]  2
  ─────────      ─────────      ─────────
      [ ]          [ ][ ]       [ ][ ][ ]
```

 TIP

위의 방법은 4일차의 세로셈을 풀이하는 방법과 원리가 같습니다. 받아올림이 있는 경우 올림한 수는 윗자리 수의 곱과 더해서 계산합니다.

빈칸에 알맞은 수를 써넣으세요.

		1	8	0
	×	1	2	
		3	6	0

		2	8	0
	×		3	

		2	1	0
	×		5	

		1	6	0
	×		4	

		3	2	0
	×		9	

		4	3	0
	×		7	

		2	9	0
	×		3	

		4	6	0
	×		2	

		3	2	0
	×		7	

		3	3	0
	×		8	

		2	2	0
	×		6	

		1	8	0
	×		5	

빈칸에 알맞은 수를 써넣으세요.

$$
\begin{array}{r}
3\ 2\ 0 \\
\times\qquad 2 \\
\hline
6\ 4\ 0
\end{array}
\qquad
\begin{array}{r}
2\ 6\ 0 \\
\times\qquad 1 \\
\hline

\end{array}
\qquad
\begin{array}{r}
1\ 4\ 0 \\
\times\qquad 6 \\
\hline

\end{array}
$$

$$
\begin{array}{r}
2\ 5\ 0 \\
\times\qquad 5 \\
\hline

\end{array}
\qquad
\begin{array}{r}
3\ 7\ 0 \\
\times\qquad 6 \\
\hline

\end{array}
\qquad
\begin{array}{r}
3\ 4\ 0 \\
\times\qquad 4 \\
\hline

\end{array}
$$

$$
\begin{array}{r}
1\ 1\ 0 \\
\times\qquad 3 \\
\hline

\end{array}
\qquad
\begin{array}{r}
2\ 3\ 0 \\
\times\qquad 2 \\
\hline

\end{array}
\qquad
\begin{array}{r}
4\ 2\ 0 \\
\times\qquad 7 \\
\hline

\end{array}
$$

$$
\begin{array}{r}
3\ 4\ 0 \\
\times\qquad 6 \\
\hline

\end{array}
\qquad
\begin{array}{r}
2\ 9\ 0 \\
\times\qquad 2 \\
\hline

\end{array}
\qquad
\begin{array}{r}
4\ 1\ 0 \\
\times\qquad 9 \\
\hline

\end{array}
$$

소마셈 C1 - 4주차

(세 자리 수) × (한 자리 수) (2)

갈라서 더하기

 그림을 보고 몇백 몇십 몇을 갈라서 더하는 방법을 알아보고, 빈칸에 알맞은 수를 써넣으세요.

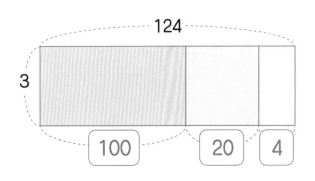

$124 \times 3 =$ 372

$100 \times 3 =$ 300

$20 \times 3 =$ 60

$4 \times 3 =$ 12

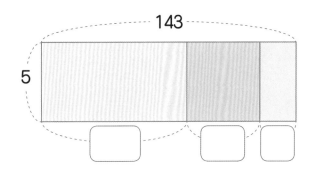

$143 \times 5 =$

$\boxed{} \times 5 =$

$\boxed{} \times 5 =$

$\boxed{} \times 5 =$

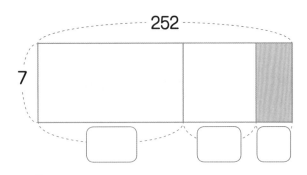

$252 \times 7 =$

$\boxed{} \times 7 =$

$\boxed{} \times 7 =$

$\boxed{} \times 7 =$

 TIP

(몇백 몇십 몇)×(몇)의 계산은 (몇백 몇십 몇)을 (몇백)과 (몇십), (몇)으로 가르기하여 각각 곱한 후 더합니다.

월
일

 빈칸에 알맞은 수를 써넣으세요.

134 × 5 = [670]

100 × 5 = [500]

30 × 5 = [150]

4 × 5 = [20]

116 × 5 = [ ]

[ ] × 5 = [ ]

[ ] × 5 = [ ]

[ ] × 5 = [ ]

193 × 6 = [ ]

[ ] × 6 = [ ]

[ ] × 6 = [ ]

[ ] × 6 = [ ]

182 × 4 = [ ]

[ ] × 4 = [ ]

[ ] × 4 = [ ]

[ ] × 4 = [ ]

257 × 3 = [ ]

[ ] × 3 = [ ]

[ ] × 3 = [ ]

[ ] × 3 = [ ]

239 × 2 = [ ]

[ ] × 2 = [ ]

[ ] × 2 = [ ]

[ ] × 2 = [ ]

 빈칸에 알맞은 수를 써넣으세요.

226 × 6 = 1356 ←

200 × 6 = 1200

20 × 6 = 120

6 × 6 = 36

228 × 3 = ☐ ←

☐ × 3 = ☐

☐ × 3 = ☐

☐ × 3 = ☐

153 × 7 = ☐ ←

☐ × 7 = ☐

☐ × 7 = ☐

☐ × 7 = ☐

261 × 4 = ☐ ←

☐ × 4 = ☐

☐ × 4 = ☐

☐ × 4 = ☐

324 × 2 = ☐ ←

☐ × 2 = ☐

☐ × 2 = ☐

☐ × 2 = ☐

352 × 5 = ☐ ←

☐ × 5 = ☐

☐ × 5 = ☐

☐ × 5 = ☐

표 만들기

 그림을 보고 표를 만들어 곱하는 방법을 알아보세요.

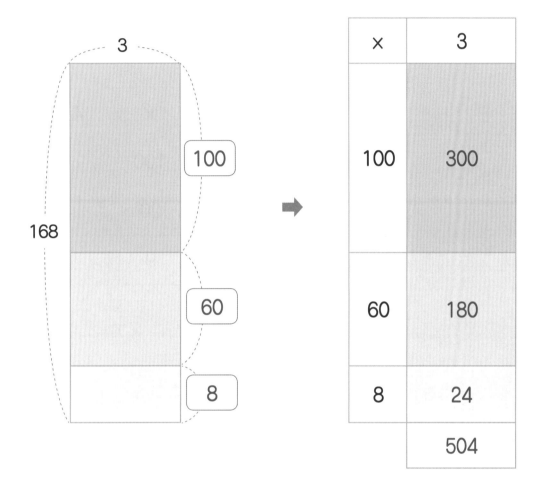

×	3
100	300
60	180
8	24
	504

$$168 \times 3 = \boxed{300} + \boxed{180} + \boxed{24} = \boxed{504}$$

 그림을 보고 빈칸에 알맞은 수를 써넣으세요.

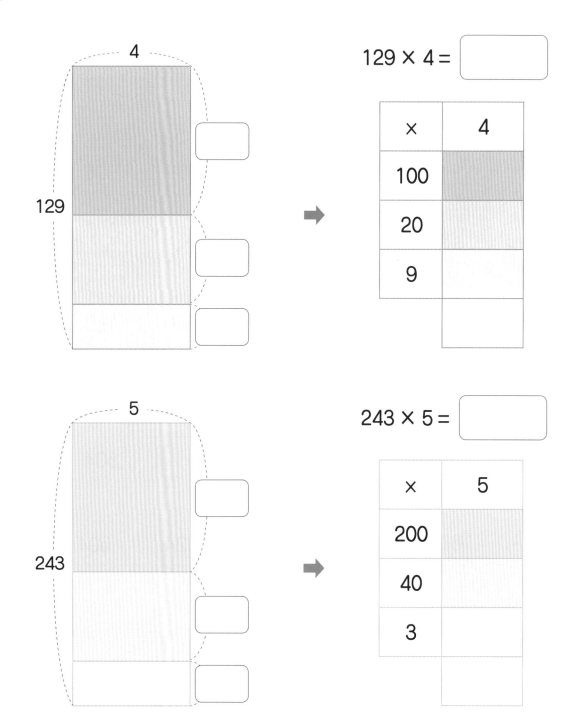

$129 \times 4 = $

×	4
100	
20	
9	

$243 \times 5 = $

×	5
200	
40	
3	

빈칸에 알맞은 수를 써넣으세요.

153 × 6 = 918 115 × 8 = 193 × 3 =

×	6
100	600
50	300
3	18
	918

×	8
100	
10	
5	

×	3
100	
90	
3	

164 × 7 = 218 × 6 = 273 × 8 =

×	7
100	
60	
4	

×	6
200	
10	
8	

×	8
200	
70	
3	

 빈칸에 알맞은 수를 써넣으세요.

242 × 7 = ⟨ 1694 ⟩   184 × 6 = ⟨   ⟩   237 × 8 = ⟨   ⟩

×	7
200	1400
40	280
2	14
	1694

×	6
100	
80	
4	

×	8
200	
30	
7	

362 × 4 = ⟨   ⟩   388 × 5 = ⟨   ⟩   429 × 3 = ⟨   ⟩

×	4
300	
60	
2	

×	5
300	
80	
8	

×	3
400	
20	
9	

3 일 차 세로셈 (1)

 각 자리의 위치를 맞추어 빈칸에 알맞은 수를 써넣으세요.

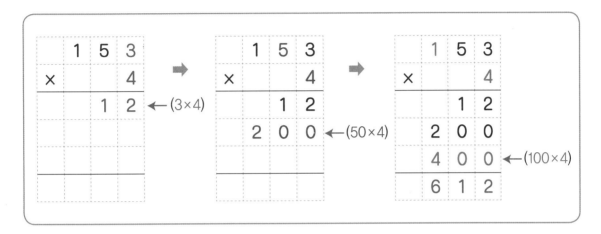

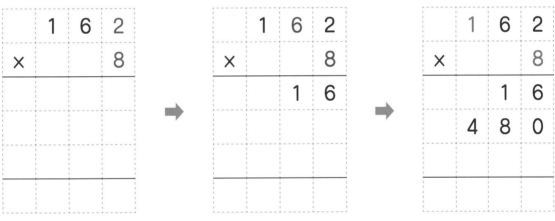

 빈칸에 알맞은 수를 써넣으세요.

```
      1 3 9
  ×       2
      1 8   ← (9×2)
      6 0   ← (30×2)
    2 0 0   ← (100×2)
    2 7 8
```

```
      1 5 5
  ×       7
```

```
      2 4 4
  ×       5
```

```
      2 5 1
  ×       5
```

```
      2 6 3
  ×       9
```

```
      1 8 3
  ×       8
```

```
      1 6 5
  ×       7
```

```
      1 7 2
  ×       8
```

```
      2 2 8
  ×       4
```

빈칸에 알맞은 수를 써넣으세요.

```
      2  2  8
×           6
─────────────
         4  8   ← (8×6)
      1  2  0   ← (20×6)
   1  2  0  0   ← (200×6)
   1  3  6  8
```

```
      2  1  7
×           7
─────────────
```

```
      1  5  8
×           6
─────────────
```

```
      3  4  5
×           3
─────────────
```

```
      5  2  8
×           3
─────────────
```

```
      2  7  6
×           4
─────────────
```

```
      2  9  2
×           5
─────────────
```

```
      4  2  3
×           7
─────────────
```

```
      3  5  8
×           8
─────────────
```

세로셈 (2)

 각 자리의 위치를 맞추어 빈칸에 알맞은 수를 써넣으세요.

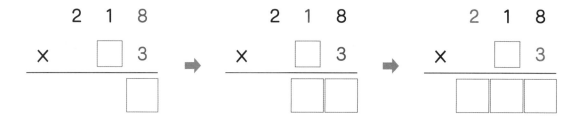

	2	3	5				2	3	5				2	3	5
×		2	4		×		1	2	4		×		1	2	4
			0					4	0				9	4	0

$5 \times 4 = 20$ 　　　$3 \times 4 + 2 = 14$ 　　　$2 \times 4 + 1 = 9$

	2	1	8		2	1	8		2	1	8
×		□	3	×		□	3	×		□	3
			□			□	□		□	□	□

	1	7	9		1	7	9		1	7	9
×		□	4	×	□	□	4	×	□	□	4
			□			□	□		□	□	□

위의 방법은 3일차의 세로셈을 풀이하는 방법과 원리가 같습니다. 받아올림이 있는 경우 올림한 수는 잇지리 수의 곱과 더해서 계산합니다.

빈칸에 알맞은 수를 써넣으세요.

```
    1 6 5
  ×   4 3 7
  ┌─────────┐
  │ 1 1 5 5 │
  └─────────┘
```

```
    1 8 8
  ×       3
  ┌─────────┐
  │         │
  └─────────┘
```

```
    2 4 5
  ×       3
  ┌─────────┐
  │         │
  └─────────┘
```

```
    1 9 2
  ×       8
  ┌─────────┐
  │         │
  └─────────┘
```

```
    3 2 6
  ×       6
  ┌─────────┐
  │         │
  └─────────┘
```

```
    4 1 8
  ×       7
  ┌─────────┐
  │         │
  └─────────┘
```

```
    3 4 5
  ×       6
  ┌─────────┐
  │         │
  └─────────┘
```

```
    2 0 7
  ×       7
  ┌─────────┐
  │         │
  └─────────┘
```

```
    3 8 3
  ×       5
  ┌─────────┐
  │         │
  └─────────┘
```

```
    2 5 1
  ×       9
  ┌─────────┐
  │         │
  └─────────┘
```

```
    1 2 8
  ×       4
  ┌─────────┐
  │         │
  └─────────┘
```

```
    2 4 4
  ×       4
  ┌─────────┐
  │         │
  └─────────┘
```

 빈칸에 알맞은 수를 써넣으세요.

```
    2 8 3            2 2 3            1 5 7
  × 2 3            ×     3          ×     8
  ─────            ─────            ─────
    8 4 9
```

```
    2 0 9            3 3 8            4 7 6
  ×     6          ×     2          ×     6
  ─────            ─────            ─────
```

```
    3 5 7            5 4 9            1 7 6
  ×     8          ×     2          ×     5
  ─────            ─────            ─────
```

```
    4 6 3            2 5 6            4 3 1
  ×     4          ×     8          ×     5
  ─────            ─────            ─────
```

문장제

 다음을 읽고 알맞은 곱셈식을 쓰고, 답을 구하세요.

꽃이 140송이씩 심어져 있는 화단이 3개 있습니다. 그 중에서 35송이가 시들어서 버렸습니다. 화단에 남은 꽃은 모두 몇 송이일까요?

식 : 140 × 3 = 420, 420 - 35 = 385

 송이

은수네 학교는 2층입니다. 사물함이 한 층에 135개씩 있을 때, 은수네 학교에 있는 사물함은 모두 몇 개일까요?

식 :

 개

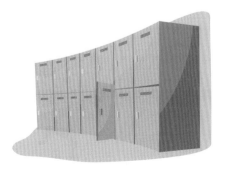

 다음을 읽고 알맞은 곱셈식을 쓰고, 답을 구하세요.

민주가 판매할 딸기를 상자에 담았습니다. 큰 딸기는 110개씩 3상자에 담고, 작은 딸기는 한 상자에 130개씩 4상자에 담았습니다. 상자에 담은 딸기는 모두 몇 개일까요?

식 :

 개

성환이는 줄넘기를 하루에 155번씩 합니다. 일주일 동안 성환이는 줄넘기를 몇 번할까요?

식 :

 번

월
일

 다음을 읽고 알맞은 곱셈식을 쓰고, 답을 구하세요.

하루 동안 라디오를 184대 만드는 공장이 있습니다. 이 공장에서 4일 동안 만들 수 있는 라디오는 모두 몇 대일까요?

식 :

대

수경이는 문방구에서 450원짜리 공책 2권과 250원짜리 지우개 2개를 샀습니다. 수경이가 산 공책과 지우개의 값은 모두 얼마일까요?

식 :

원

버스가 하루에 273대씩 지나가는 정류소가 있습니다. 3일 동안 이 정류소를 지나가는 버스는 모두 몇 대일까요?

식 :

대

 다음을 읽고 알맞은 곱셈식을 쓰고, 답을 구하세요.

정규는 구슬을 136개씩 8묶음 가지고 있습니다. 그 중 64개를 친구들에게 나누어 주었습니다. 정규에게 남은 구슬은 모두 몇 개일까요?

식 :

개

지하철 한 칸에 159명씩, 같은 수의 사람이 6칸에 타고 있습니다. 다음 정거장에서 40명이 더 탔습니다. 지하철에 타고 있는 사람은 모두 몇 명일까요?

식 :

명

신문이 한 묶음에 277장씩 5묶음이 포장되어 있습니다. 포장된 신문은 모두 몇 장일까요?

식 :

장

보충학습

Drill

(두 자리 수)×(한 자리 수) (1)

빈칸에 알맞은 수를 써넣으세요.

$16 × 5 =$ ☐

×	5
10	
6	

$13 × 9 =$ ☐

×	9
10	
3	

$32 × 3 =$ ☐

×	3
30	
2	

$22 × 7 =$ ☐

×	7
20	
2	

$24 × 4 =$ ☐

×	4
20	
4	

$18 × 8 =$ ☐

×	8
10	
8	

빈칸에 알맞은 수를 써넣으세요.

24 × 6 = ☐

×	6
20	
4	

36 × 8 = ☐

×	8
30	
6	

29 × 9 = ☐

×	9
20	
9	

42 × 7 = ☐

×	7
40	
2	

37 × 4 = ☐

×	4
30	
7	

53 × 3 = ☐

×	3
50	
3	

빈칸에 알맞은 수를 써넣으세요.

```
      1   4
  ×       9
      3   6
      9   0
  1   2   6
```

```
      1   8
  ×       4
```

```
      2   6
  ×       3
```

```
      2   7
  ×       7
```

```
      3   2
  ×       5
```

```
      1   2
  ×       8
```

```
      4   4
  ×       3
```

```
      1   6
  ×       5
```

```
      2   2
  ×       8
```

빈칸에 알맞은 수를 써넣으세요.

		2	8
	×		2

		2	6
	×		7

		4	7
	×		8

		2	3
	×		9

		3	6
	×		6

		2	8
	×		5

		5	9
	×		3

		4	6
	×		5

		7	1
	×		8

빈칸에 알맞은 수를 써넣으세요.

	1	6
×		4

	1	8
×		7

	2	6
×		3

	2	4
×		8

	3	3
×		7

	3	8
×		4

	4	2
×		8

	2	9
×		5

	3	4
×		5

	2	8
×		7

	3	5
×		6

	4	7
×		3

빈칸에 알맞은 수를 써넣으세요.

$$
\begin{array}{r}
3\ 2 \\
\times\ \ \ 5 \\
\hline
\end{array}
\qquad
\begin{array}{r}
2\ 3 \\
\times\ \ \ 8 \\
\hline
\end{array}
\qquad
\begin{array}{r}
1\ 8 \\
\times\ \ \ 6 \\
\hline
\end{array}
$$

$$
\begin{array}{r}
2\ 5 \\
\times\ \ \ 5 \\
\hline
\end{array}
\qquad
\begin{array}{r}
5\ 9 \\
\times\ \ \ 7 \\
\hline
\end{array}
\qquad
\begin{array}{r}
3\ 6 \\
\times\ \ \ 2 \\
\hline
\end{array}
$$

$$
\begin{array}{r}
3\ 7 \\
\times\ \ \ 9 \\
\hline
\end{array}
\qquad
\begin{array}{r}
2\ 4 \\
\times\ \ \ 6 \\
\hline
\end{array}
\qquad
\begin{array}{r}
6\ 2 \\
\times\ \ \ 5 \\
\hline
\end{array}
$$

$$
\begin{array}{r}
4\ 2 \\
\times\ \ \ 9 \\
\hline
\end{array}
\qquad
\begin{array}{r}
3\ 8 \\
\times\ \ \ 8 \\
\hline
\end{array}
\qquad
\begin{array}{r}
7\ 1 \\
\times\ \ \ 3 \\
\hline
\end{array}
$$

빈칸에 알맞은 수를 써넣으세요.

$$
\begin{array}{r}
1\ 5 \\
\times\ \ \ 6 \\
\hline
\end{array}
\qquad
\begin{array}{r}
1\ 4 \\
\times\ \ \ 7 \\
\hline
\end{array}
\qquad
\begin{array}{r}
2\ 3 \\
\times\ \ \ 4 \\
\hline
\end{array}
$$

$$
\begin{array}{r}
2\ 5 \\
\times\ \ \ 8 \\
\hline
\end{array}
\qquad
\begin{array}{r}
3\ 4 \\
\times\ \ \ 3 \\
\hline
\end{array}
\qquad
\begin{array}{r}
3\ 6 \\
\times\ \ \ 8 \\
\hline
\end{array}
$$

$$
\begin{array}{r}
4\ 3 \\
\times\ \ \ 4 \\
\hline
\end{array}
\qquad
\begin{array}{r}
2\ 8 \\
\times\ \ \ 7 \\
\hline
\end{array}
\qquad
\begin{array}{r}
3\ 5 \\
\times\ \ \ 4 \\
\hline
\end{array}
$$

$$
\begin{array}{r}
2\ 9 \\
\times\ \ \ 6 \\
\hline
\end{array}
\qquad
\begin{array}{r}
3\ 3 \\
\times\ \ \ 7 \\
\hline
\end{array}
\qquad
\begin{array}{r}
4\ 4 \\
\times\ \ \ 5 \\
\hline
\end{array}
$$

빈칸에 알맞은 수를 써넣으세요.

$$
\begin{array}{r}
1\ 8 \\
\times\quad 8 \\
\hline
\end{array}
\qquad
\begin{array}{r}
2\ 4 \\
\times\quad 6 \\
\hline
\end{array}
\qquad
\begin{array}{r}
3\ 5 \\
\times\quad 4 \\
\hline
\end{array}
$$

$$
\begin{array}{r}
2\ 3 \\
\times\quad 6 \\
\hline
\end{array}
\qquad
\begin{array}{r}
3\ 4 \\
\times\quad 7 \\
\hline
\end{array}
\qquad
\begin{array}{r}
3\ 8 \\
\times\quad 9 \\
\hline
\end{array}
$$

$$
\begin{array}{r}
4\ 2 \\
\times\quad 7 \\
\hline
\end{array}
\qquad
\begin{array}{r}
2\ 8 \\
\times\quad 7 \\
\hline
\end{array}
\qquad
\begin{array}{r}
3\ 3 \\
\times\quad 6 \\
\hline
\end{array}
$$

$$
\begin{array}{r}
2\ 9 \\
\times\quad 5 \\
\hline
\end{array}
\qquad
\begin{array}{r}
3\ 4 \\
\times\quad 6 \\
\hline
\end{array}
\qquad
\begin{array}{r}
4\ 3 \\
\times\quad 6 \\
\hline
\end{array}
$$

(두 자리 수)×(한 자리 수) (2)

빈칸에 알맞은 수를 써넣으세요.

```
    1 9          2 7          1 8
  ×   5        ×   6        ×   2
  ┌──────┐     ┌──────┐     ┌──────┐
  │      │     │      │     │      │
  └──────┘     └──────┘     └──────┘


    1 2          5 0          4 2
  ×   9        ×   7        ×   5
  ┌──────┐     ┌──────┐     ┌──────┐
  │      │     │      │     │      │
  └──────┘     └──────┘     └──────┘


    3 3          2 7          8 0
  ×   2        ×   3        ×   4
  ┌──────┐     ┌──────┐     ┌──────┐
  │      │     │      │     │      │
  └──────┘     └──────┘     └──────┘


    2 2          2 5          6 1
  ×   9        ×   8        ×   6
  ┌──────┐     ┌──────┐     ┌──────┐
  │      │     │      │     │      │
  └──────┘     └──────┘     └──────┘
```

빈칸에 알맞은 수를 써넣으세요.

$$
\begin{array}{r}
3\ 7 \\
\times\ \ 5 \\
\hline
\end{array}
\qquad
\begin{array}{r}
2\ 4 \\
\times\ \ 8 \\
\hline
\end{array}
\qquad
\begin{array}{r}
2\ 8 \\
\times\ \ 2 \\
\hline
\end{array}
$$

$$
\begin{array}{r}
6\ 0 \\
\times\ \ 5 \\
\hline
\end{array}
\qquad
\begin{array}{r}
2\ 8 \\
\times\ \ 8 \\
\hline
\end{array}
\qquad
\begin{array}{r}
7\ 0 \\
\times\ \ 4 \\
\hline
\end{array}
$$

$$
\begin{array}{r}
3\ 6 \\
\times\ \ 5 \\
\hline
\end{array}
\qquad
\begin{array}{r}
2\ 7 \\
\times\ \ 3 \\
\hline
\end{array}
\qquad
\begin{array}{r}
4\ 4 \\
\times\ \ 2 \\
\hline
\end{array}
$$

$$
\begin{array}{r}
5\ 2 \\
\times\ \ 5 \\
\hline
\end{array}
\qquad
\begin{array}{r}
2\ 9 \\
\times\ \ 9 \\
\hline
\end{array}
\qquad
\begin{array}{r}
1\ 7 \\
\times\ \ 7 \\
\hline
\end{array}
$$

빈칸에 알맞은 수를 써넣으세요.

	4 0
×	3

	1 3
×	9

	2 2
×	5

	3 3
×	6

	2 2
×	7

	4 0
×	6

	3 7
×	5

	4 8
×	8

	9 0
×	2

	3 8
×	4

	2 3
×	9

	1 7
×	6

빈칸에 알맞은 수를 써넣으세요.

$$
\begin{array}{r}
1\ 8 \\
\times\quad 8 \\
\hline
\end{array}
$$

$$
\begin{array}{r}
5\ 3 \\
\times\quad 6 \\
\hline
\end{array}
$$

$$
\begin{array}{r}
6\ 0 \\
\times\quad 6 \\
\hline
\end{array}
$$

$$
\begin{array}{r}
7\ 2 \\
\times\quad 2 \\
\hline
\end{array}
$$

$$
\begin{array}{r}
6\ 1 \\
\times\quad 8 \\
\hline
\end{array}
$$

$$
\begin{array}{r}
5\ 7 \\
\times\quad 4 \\
\hline
\end{array}
$$

$$
\begin{array}{r}
3\ 3 \\
\times\quad 6 \\
\hline
\end{array}
$$

$$
\begin{array}{r}
4\ 4 \\
\times\quad 4 \\
\hline
\end{array}
$$

$$
\begin{array}{r}
1\ 9 \\
\times\quad 9 \\
\hline
\end{array}
$$

$$
\begin{array}{r}
6\ 2 \\
\times\quad 6 \\
\hline
\end{array}
$$

$$
\begin{array}{r}
8\ 0 \\
\times\quad 8 \\
\hline
\end{array}
$$

$$
\begin{array}{r}
5\ 5 \\
\times\quad 4 \\
\hline
\end{array}
$$

빈칸에 알맞은 수를 써넣으세요.

	5 1		4 3		5 3
×	8	×	3	×	5

	4 5		2 3		5 5
×	8	×	6	×	7

	1 9		6 2		8 2
×	3	×	6	×	7

	5 4		7 3		6 5
×	4	×	9	×	4

빈칸에 알맞은 수를 써넣으세요.

```
    4 2          5 4          4 8
  ×   7        ×   6        ×   7
  ┌─────┐      ┌─────┐      ┌─────┐
  └─────┘      └─────┘      └─────┘


    2 6          4 7          5 3
  ×   5        ×   9        ×   8
  ┌─────┐      ┌─────┐      ┌─────┐
  └─────┘      └─────┘      └─────┘


    1 7          6 3          8 3
  ×   6        ×   7        ×   6
  ┌─────┐      ┌─────┐      ┌─────┐
  └─────┘      └─────┘      └─────┘


    4 5          7 8          6 4
  ×   8        ×   6        ×   7
  ┌─────┐      ┌─────┐      ┌─────┐
  └─────┘      └─────┘      └─────┘
```

빈칸에 알맞은 수를 써넣으세요.

	□	8
×		3
2	0	□

	3	□
×		9
3	□	5

	□	□
×		4
9	2	

	1	6
×		□
6	4	

	1	8
×		□
1	□	2

	□	□
×		5
8	0	

	5	□
×		7
3	□	1

	7	□
×		5
□	7	5

	4	□
×		3
1	□	8

	□	8
×		2
5	□	

	5	6
×		□
3	□	6

	8	□
×		2
□	7	4

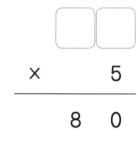

빈칸에 알맞은 수를 써넣으세요.

	□7		2□		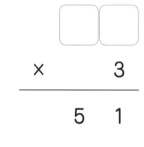
×	5	×	8	×	3
	8□	2	□8		5 1

	4□		□□		56
×	9	×	7	×	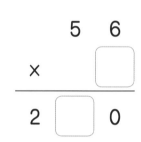
3	□7	1 6 8		2	□0

	71		□4		9□
×	□	×	3	×	1
6 3 9		1 0 □		□	9

	27		5□		18
×	□	×	3	×	□
1 □ 2		1 □ 9		1 □ 4	

3주차

drill

(세 자리 수)×(한 자리 수) (1)

빈칸에 알맞은 수를 써넣으세요.

170 × 7 = [   ]

×	7
100	
70	

240 × 6 = [   ]

×	6
200	
40	

130 × 9 = [   ]

×	9
100	
30	

270 × 4 = [   ]

×	4
200	
70	

360 × 5 = [   ]

×	5
300	
60	

470 × 5 = [   ]

×	5
400	
70	

빈칸에 알맞은 수를 써넣으세요.

150 × 9 = [ ]

×	9
100	
50	

210 × 7 = [ ]

×	7
200	
10	

180 × 6 = [ ]

×	6
100	
80	

240 × 4 = [ ]

×	4
200	
40	

350 × 5 = [ ]

×	5
300	
50	

490 × 2 = [ ]

×	2
400	
90	

빈칸에 알맞은 수를 써넣으세요.

```
    1 6 0
  ×     6
  -------
        0
    3 6 0
    6 0 0
  -------
    9 6 0
```

```
    1 4 0
  ×     7
  -------
```

```
    2 5 0
  ×     8
  -------
```

```
    2 4 0
  ×     3
  -------
```

```
    1 9 0
  ×     7
  -------
```

```
    1 7 0
  ×     8
  -------
```

```
    2 6 0
  ×     2
  -------
```

```
    2 1 0
  ×     9
  -------
```

```
    3 1 0
  ×     7
  -------
```

빈칸에 알맞은 수를 써넣으세요.

```
      1  8  0              1  6  0              2  7  0
 ×          7         ×          7         ×          4
─────────────        ─────────────        ─────────────



```

```
      1  7  0              2  5  0              2  6  0
 ×          9         ×          2         ×          8
─────────────        ─────────────        ─────────────



```

```
      3  6  0              2  8  0              4  1  0
 ×          5         ×          9         ×          4
─────────────        ─────────────        ─────────────



```

빈칸에 알맞은 수를 써넣으세요.

```
    1 7 0          1 4 0          2 3 0
  ×     5        ×     7        ×     8
  ┌─────────┐    ┌─────────┐    ┌─────────┐
  │         │    │         │    │         │
  └─────────┘    └─────────┘    └─────────┘


    1 9 0          2 3 0          2 4 0
  ×     2        ×     3        ×     4
  ┌─────────┐    ┌─────────┐    ┌─────────┐
  │         │    │         │    │         │
  └─────────┘    └─────────┘    └─────────┘


    1 8 0          2 3 0          3 3 0
  ×     5        ×     7        ×     8
  ┌─────────┐    ┌─────────┐    ┌─────────┐
  │         │    │         │    │         │
  └─────────┘    └─────────┘    └─────────┘


    2 2 0          2 7 0          4 2 0
  ×     5        ×     7        ×     6
  ┌─────────┐    ┌─────────┐    ┌─────────┐
  │         │    │         │    │         │
  └─────────┘    └─────────┘    └─────────┘
```

빈칸에 알맞은 수를 써넣으세요.

```
    1 9 0
  ×     6
  ┌─────────┐
  │         │
  └─────────┘
```

```
    1 8 0
  ×     7
  ┌─────────┐
  │         │
  └─────────┘
```

```
    2 3 0
  ×     9
  ┌─────────┐
  │         │
  └─────────┘
```

```
    3 7 0
  ×     5
  ┌─────────┐
  │         │
  └─────────┘
```

```
    1 3 0
  ×     2
  ┌─────────┐
  │         │
  └─────────┘
```

```
    2 2 0
  ×     7
  ┌─────────┐
  │         │
  └─────────┘
```

```
    1 9 0
  ×     8
  ┌─────────┐
  │         │
  └─────────┘
```

```
    3 3 0
  ×     5
  ┌─────────┐
  │         │
  └─────────┘
```

```
    3 3 0
  ×     2
  ┌─────────┐
  │         │
  └─────────┘
```

```
    2 6 0
  ×     2
  ┌─────────┐
  │         │
  └─────────┘
```

```
    4 3 0
  ×     7
  ┌─────────┐
  │         │
  └─────────┘
```

```
    4 5 0
  ×     6
  ┌─────────┐
  │         │
  └─────────┘
```

빈칸에 알맞은 수를 써넣으세요.

| | 1 5 0 | | 1 3 0 | | 2 3 0 |
| × | 4 | × | 7 | × | 6 |

| | 1 4 0 | | 2 3 0 | | 2 5 0 |
| × | 2 | × | 5 | × | 7 |

| | 1 8 0 | | 2 2 0 | | 3 3 0 |
| × | 4 | × | 6 | × | 7 |

| | 2 3 0 | | 2 8 0 | | 4 2 0 |
| × | 6 | × | 5 | × | 5 |

빈칸에 알맞은 수를 써넣으세요.

	1	4	0
×			6

	1	7	0
×			5

	2	3	0
×			8

	3	6	0
×			4

	1	3	0
×			3

	2	2	0
×			8

	1	7	0
×			6

	3	4	0
×			5

	3	4	0
×			7

	2	6	0
×			5

	4	3	0
×			8

	4	4	0
×			6

빈칸에 알맞은 수를 써넣으세요.

238 × 6 = ☐

×	6
200	
30	
8	

178 × 7 = ☐

×	7
100	
70	
8	

218 × 8 = ☐

×	8
200	
10	
8	

367 × 5 = ☐

×	5
300	
60	
7	

524 × 6 = ☐

×	6
500	
20	
4	

434 × 9 = ☐

×	9
400	
30	
4	

빈칸에 알맞은 수를 써넣으세요.

137 × 6 = ☐   198 × 2 = ☐   241 × 5 = ☐

×	6
100	
30	
7	

×	2
100	
90	
8	

×	5
200	
40	
1	

222 × 4 = ☐   327 × 3 = ☐   432 × 8 = ☐

×	4
200	
20	
2	

×	3
300	
20	
7	

×	8
400	
30	
2	

빈칸에 알맞은 수를 써넣으세요.

```
    1 4 5
  ×     3
  ───────
      1 5
    1 2 0
    3 0 0
  ───────
    4 3 5
```

```
    1 6 8
  ×     7
  ───────
```

```
    2 5 6
  ×     4
  ───────
```

```
    2 7 3
  ×     8
  ───────
```

```
    1 9 2
  ×     7
  ───────
```

```
    1 8 4
  ×     9
  ───────
```

```
    3 6 5
  ×     4
  ───────
```

```
    2 1 9
  ×     9
  ───────
```

```
    3 4 8
  ×     4
  ───────
```

빈칸에 알맞은 수를 써넣으세요.

```
    3 2 4
  ×     6
  -------
```

```
    1 8 7
  ×     7
  -------
```

```
    2 5 6
  ×     8
  -------
```

```
    3 4 9
  ×     3
  -------
```

```
    4 3 6
  ×     5
  -------
```

```
    5 2 7
  ×     4
  -------
```

```
    2 8 9
  ×     8
  -------
```

```
    4 6 3
  ×     2
  -------
```

```
    5 5 8
  ×     4
  -------
```

빈칸에 알맞은 수를 써넣으세요.

```
    1 7 6
  ×     5
  ┌─────────┐
  └─────────┘
```

```
    1 3 8
  ×     7
  ┌─────────┐
  └─────────┘
```

```
    2 3 9
  ×     7
  ┌─────────┐
  └─────────┘
```

```
    2 4 1
  ×     9
  ┌─────────┐
  └─────────┘
```

```
    3 5 6
  ×     7
  ┌─────────┐
  └─────────┘
```

```
    4 4 8
  ×     3
  ┌─────────┐
  └─────────┘
```

```
    1 4 5
  ×     8
  ┌─────────┐
  └─────────┘
```

```
    2 3 5
  ×     7
  ┌─────────┐
  └─────────┘
```

```
    3 8 2
  ×     4
  ┌─────────┐
  └─────────┘
```

```
    2 6 6
  ×     5
  ┌─────────┐
  └─────────┘
```

```
    4 2 7
  ×     3
  ┌─────────┐
  └─────────┘
```

```
    2 0 6
  ×     8
  ┌─────────┐
  └─────────┘
```

빈칸에 알맞은 수를 써넣으세요.

$$
\begin{array}{r} 2\ 7\ 7 \\ \times\qquad 4 \\ \hline \end{array}
$$

$$
\begin{array}{r} 3\ 1\ 8 \\ \times\qquad 8 \\ \hline \end{array}
$$

$$
\begin{array}{r} 1\ 9\ 2 \\ \times\qquad 8 \\ \hline \end{array}
$$

$$
\begin{array}{r} 2\ 5\ 6 \\ \times\qquad 6 \\ \hline \end{array}
$$

$$
\begin{array}{r} 3\ 2\ 8 \\ \times\qquad 3 \\ \hline \end{array}
$$

$$
\begin{array}{r} 4\ 2\ 6 \\ \times\qquad 7 \\ \hline \end{array}
$$

$$
\begin{array}{r} 3\ 8\ 7 \\ \times\qquad 4 \\ \hline \end{array}
$$

$$
\begin{array}{r} 5\ 0\ 9 \\ \times\qquad 5 \\ \hline \end{array}
$$

$$
\begin{array}{r} 2\ 8\ 9 \\ \times\qquad 7 \\ \hline \end{array}
$$

$$
\begin{array}{r} 4\ 5\ 2 \\ \times\qquad 7 \\ \hline \end{array}
$$

$$
\begin{array}{r} 6\ 1\ 2 \\ \times\qquad 8 \\ \hline \end{array}
$$

$$
\begin{array}{r} 5\ 3\ 7 \\ \times\qquad 2 \\ \hline \end{array}
$$

빈칸에 알맞은 수를 써넣으세요.

```
    2 5 3          3 1 7          1 9 3
  ×     6        ×     7        ×     7
┌─────────┐    ┌─────────┐    ┌─────────┐
│         │    │         │    │         │
└─────────┘    └─────────┘    └─────────┘


    2 4 6          3 2 7          4 2 5
  ×     7        ×     4        ×     6
┌─────────┐    ┌─────────┐    ┌─────────┐
│         │    │         │    │         │
└─────────┘    └─────────┘    └─────────┘


    3 7 4          5 8 9          2 3 3
  ×     2        ×     4        ×     6
┌─────────┐    ┌─────────┐    ┌─────────┐
│         │    │         │    │         │
└─────────┘    └─────────┘    └─────────┘


    4 5 3          6 2 4          5 4 6
  ×     3        ×     7        ×     3
┌─────────┐    ┌─────────┐    ┌─────────┐
│         │    │         │    │         │
└─────────┘    └─────────┘    └─────────┘
```

빈칸에 알맞은 수를 써넣으세요.

```
    2 6 3          3 2 9          1 7 8
  ×     7        ×     6        ×     5
  ┌─────────┐    ┌─────────┐    ┌─────────┐
  │         │    │         │    │         │
  └─────────┘    └─────────┘    └─────────┘


    2 4 6          3 1 7          4 2 5
  ×     3        ×     8        ×     3
  ┌─────────┐    ┌─────────┐    ┌─────────┐
  │         │    │         │    │         │
  └─────────┘    └─────────┘    └─────────┘


    3 7 2          5 1 9          2 7 6
  ×     6        ×     6        ×     7
  ┌─────────┐    ┌─────────┐    ┌─────────┐
  │         │    │         │    │         │
  └─────────┘    └─────────┘    └─────────┘


    4 5 3          6 1 4          5 4 6
  ×     8        ×     7        ×     3
  ┌─────────┐    ┌─────────┐    ┌─────────┐
  │         │    │         │    │         │
  └─────────┘    └─────────┘    └─────────┘
```

Note

정답

1일차 몇십의 곱

P 10 ~ 11

🌱 그림을 보고 몇십의 곱을 해 보세요.

10

3

$10 + 10 + 10 = \boxed{30}$

↓

$10 \times 3 = \boxed{3\ 0}$

20

4

$20 + 20 + 20 + 20 = \boxed{80}$

↓

$20 \times 4 = \boxed{8\ 0}$

50

3

$50 + 50 + 50 = \boxed{150}$

↓

$50 \times 3 = \boxed{1\ 5\ 0}$

TIP
(몇십)×(몇)의 값은 (몇)×(몇)의 계산 결과 뒤에 0을 1개 붙이면 됩니다.

10 소마셈 - C1

🌱 □ 안에 알맞은 수를 써넣으세요.

$20 + 20 = \boxed{40}$

↓

$20 \times 2 = \boxed{4\ 0}$

$60 + 60 + 60 + 60 + 60 + 60 = \boxed{360}$

↓

$60 \times 6 = \boxed{3\ 6\ 0}$

$70 + 70 + 70 = \boxed{210}$

↓

$70 \times 3 = \boxed{210}$

$40 + 40 + 40 + 40 + 40 = \boxed{200}$

↓

$40 \times 5 = \boxed{200}$

$50 + 50 + 50 + 50 = \boxed{200}$

↓

$50 \times 4 = \boxed{200}$

$80 + 80 + 80 + 80 = \boxed{320}$

↓

$80 \times 4 = \boxed{320}$

P 12 ~ 13

🌱 □ 안에 알맞은 수를 써넣으세요.

$20 \times 7 = \boxed{1\ 4\ 0}$

$10 \times 7 = \boxed{70}$

$30 \times 2 = \boxed{60}$

$20 \times 5 = \boxed{100}$

$10 \times 6 = \boxed{60}$

$40 \times 4 = \boxed{160}$

$50 \times 2 = \boxed{100}$

$40 \times 7 = \boxed{280}$

$40 \times 8 = \boxed{320}$

$60 \times 2 = \boxed{120}$

$20 \times 8 = \boxed{160}$

$70 \times 3 = \boxed{210}$

12 소마셈 - C1

2일차 갈라서 더하기

🌱 그림을 보고 몇십 몇을 갈라서 더하는 방법을 알아보고, 빈칸에 알맞은 수를 써넣으세요.

14

5

10 | 4

$14 \times 5 = \boxed{70}$

$10 \times 5 = \boxed{50}$

$4 \times 5 = \boxed{20}$

26

3

20 | 6

$26 \times 3 = \boxed{78}$

$\boxed{20} \times 3 = \boxed{60}$

$6 \times 3 = \boxed{18}$

19

2

10 | 9

$19 \times 2 = \boxed{38}$

$10 \times 2 = \boxed{20}$

$9 \times 2 = \boxed{18}$

TIP
(몇십 몇)×(몇)의 계산은 (몇십 몇)을 (몇십)과 (몇)으로 가르기하여 각각 곱한 후 더합니다

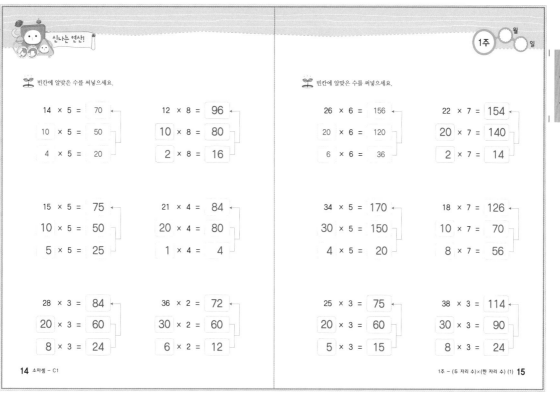

신나는 연산!

빈칸에 알맞은 수를 써넣으세요.

14 × 5 = 70
10 × 5 = 50
4 × 5 = 20

12 × 8 = 96
10 × 8 = 80
2 × 8 = 16

15 × 5 = 75
10 × 5 = 50
5 × 5 = 25

21 × 4 = 84
20 × 4 = 80
1 × 4 = 4

28 × 3 = 84
20 × 3 = 60
8 × 3 = 24

36 × 2 = 72
30 × 2 = 60
6 × 2 = 12

빈칸에 알맞은 수를 써넣으세요.

26 × 6 = 156
20 × 6 = 120
6 × 6 = 36

22 × 7 = 154
20 × 7 = 140
2 × 7 = 14

34 × 5 = 170
30 × 5 = 150
4 × 5 = 20

18 × 7 = 126
10 × 7 = 70
8 × 7 = 56

25 × 3 = 75
20 × 3 = 60
5 × 3 = 15

38 × 3 = 114
30 × 3 = 90
8 × 3 = 24

---

3 일 차 표 만들기

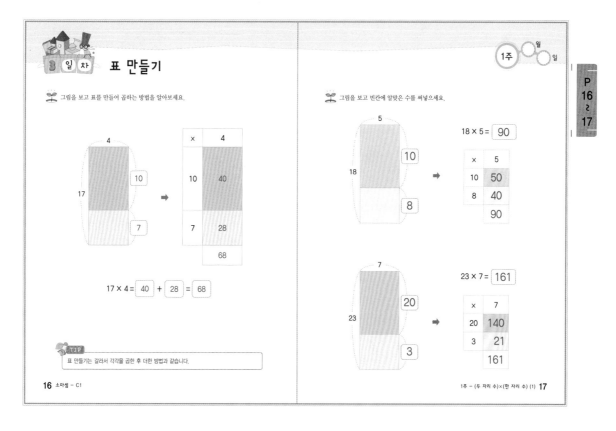

그림을 보고 표를 만들어 곱하는 방법을 알아보세요.

×	4
10	40
7	28
	68

17 × 4 = 40 + 28 = 68

TIP
표 만들기는 갈라서 각각을 곱한 후 더한 방법과 같습니다.

그림을 보고 빈칸에 알맞은 수를 써넣으세요.

18 × 5 = 90

×	5
10	50
8	40
	90

23 × 7 = 161

×	7
20	140
3	21
	161

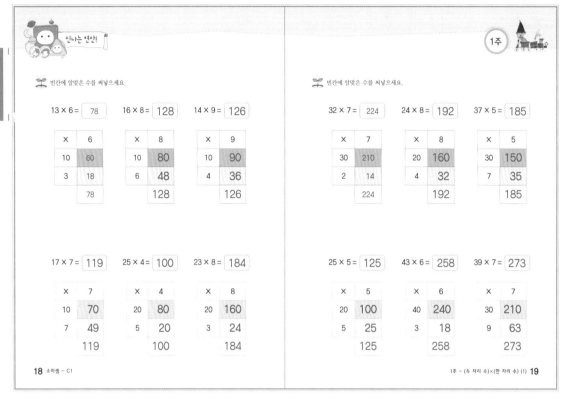

신나는 연산!

1주

빈칸에 알맞은 수를 써넣으세요.

13 × 6 = 78　　16 × 8 = 128　　14 × 9 = 126

×	6
10	60
3	18
	78

×	8
10	80
6	48
	128

×	9
10	90
4	36
	126

17 × 7 = 119　　25 × 4 = 100　　23 × 8 = 184

×	7
10	70
7	49
	119

×	4
20	80
5	20
	100

×	8
20	160
3	24
	184

빈칸에 알맞은 수를 써넣으세요.

32 × 7 = 224　　24 × 8 = 192　　37 × 5 = 185

×	7
30	210
2	14
	224

×	8
20	160
4	32
	192

×	5
30	150
7	35
	185

25 × 5 = 125　　43 × 6 = 258　　39 × 7 = 273

×	5
20	100
5	25
	125

×	6
40	240
3	18
	258

×	7
30	210
9	63
	273

18 소마셈 – C1

1주 – (두 자리 수)×(한 자리 수) (1) 19

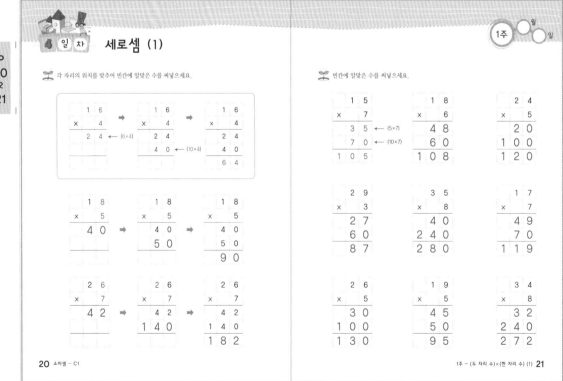

4 일차

세로셈 (1)

1주 월 일

각 자리의 위치를 맞추어 빈칸에 알맞은 수를 써넣으세요.

```
    1 6          1 6          1 6
  ×   4   →    ×   4    →   ×   4
    2 4 ←(6×4)  2 4          2 4
                4 0 ←(10×4)  4 0
                             6 4
```

```
    1 8          1 8          1 8
  ×   5   →    ×   5    →   ×   5
    4 0          4 0          4 0
                 5 0          5 0
                              9 0
```

```
    2 6          2 6          2 6
  ×   7   →    ×   7    →   ×   7
    4 2          4 2          4 2
               1 4 0        1 4 0
                            1 8 2
```

빈칸에 알맞은 수를 써넣으세요.

```
    1 5
  ×   7
    3 5  (5×7)
    7 0  (10×7)
  1 0 5
```

```
    1 8
  ×   6
    4 8
    6 0
  1 0 8
```

```
    2 4
  ×   5
    2 0
  1 0 0
  1 2 0
```

```
    2 9
  ×   3
    2 7
    6 0
    8 7
```

```
    3 5
  ×   8
    4 0
  2 4 0
  2 8 0
```

```
    1 7
  ×   7
    4 9
    7 0
  1 1 9
```

```
    2 6
  ×   5
    3 0
  1 0 0
  1 3 0
```

```
    1 9
  ×   5
    4 5
    5 0
    9 5
```

```
    3 4
  ×   8
    3 2
  2 4 0
  2 7 2
```

20 소마셈 – C1

1주 – (두 자리 수)×(한 자리 수) (1) 21

5일차 세로셈 (2)

(p.22) 1주

🌱 빈칸에 알맞은 수를 써넣으세요.

```
   2 6
 ×   7
-------
   4 2  ← (6×7)
 1 4 0  ← (20×7)
-------
 1 8 2
```

```
   1 9
 ×   9
-------
   8 1
   9 0
-------
 1 7 1
```

```
   2 3
 ×   6
-------
   1 8
 1 2 0
-------
 1 3 8
```

```
   2 8
 ×   7
-------
   5 6
 1 4 0
-------
 1 9 6
```

```
   3 5
 ×   5
-------
   2 5
 1 5 0
-------
 1 7 5
```

```
   1 2
 ×   9
-------
   1 8
   9 0
-------
 1 0 8
```

```
   3 4
 ×   5
-------
   2 0
 1 5 0
-------
 1 7 0
```

```
   4 1
 ×   7
-------
     7
 2 8 0
-------
 2 8 7
```

```
   4 6
 ×   3
-------
   1 8
 1 2 0
-------
 1 3 8
```

22 소마셈 - C1

(p.23)

🌱 각 자리의 위치를 맞추어 빈칸에 알맞은 수를 써넣으세요.

```
   1 6          1 6           1 6
 ×   4   ➡    × 2 4    ➡    × 2 4
--------      -------       -------
                  4            6 4
                  ↓             ↓
              6×4=24        1×4+2=6
```

```
   1 9          1 9           1 9
 ×   5   ➡    × 4 5    ➡    × 4 5
--------      -------       -------
                  5            9 5
```

```
   2 6          2 6           2 6
 ×   3   ➡    × 1 3    ➡    × 1 3
--------      -------       -------
                  8            7 8
```

TIP
위의 방법은 4일차의 세로셈을 풀이하는 방법과 원리가 같습니다. 받아올림이 있는 경우 올림한 수는 윗자리 수의 곱과 더해서 계산합니다.

1주 - (두 자리 수)×(한 자리 수) (1) **23**

(p.24) 신나는 연산!

🌱 빈칸에 알맞은 수를 써넣으세요.

```
   1 8        1 4        2 3
 × 3 4      ×   9      ×   3
-------      -----      -----
   7 2      1 2 6        6 9
```

```
   2 6        3 1        3 4
 ×   6      ×   7      ×   3
-------      -----      -----
 1 5 6      2 1 7      1 0 2
```

```
   2 7        2 9        4 3
 ×   8      ×   3      ×   3
-------      -----      -----
 2 1 6        8 7      1 2 9
```

```
   3 8        4 3        2 4
 ×   2      ×   5      ×   8
-------      -----      -----
   7 6      2 1 5      1 9 2
```

24 소마셈 - C1

(p.25) 1주

🌱 빈칸에 알맞은 수를 써넣으세요.

```
   3 3        2 3        1 8
 × 1 6      ×   6      ×   6
-------      -----      -----
 1 9 8      1 3 8      1 0 8
```

```
   4 4        3 5        5 3
 ×   2      ×   6      ×   8
-------      -----      -----
   8 8      2 1 0      4 2 4
```

```
   3 9        5 3        2 4
 ×   3      ×   2      ×   3
-------      -----      -----
 1 1 7      1 0 6        7 2
```

```
   4 0        2 8        6 6
 ×   9      ×   5      ×   3
-------      -----      -----
 3 6 0      1 4 0      1 9 8
```

1주 - (두 자리 수)×(한 자리 수) (1) **25**

정답

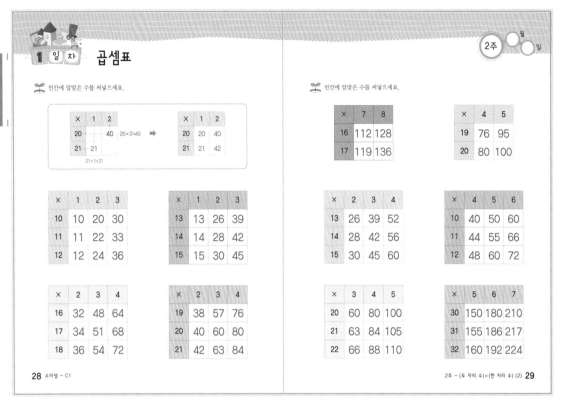

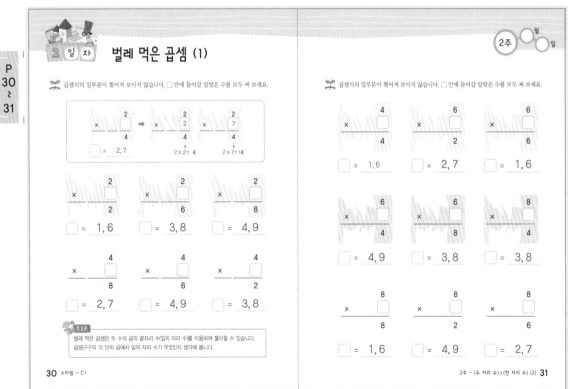

벌레 먹은 곱셈 (2)

(왼쪽) 곱셈식의 일부분이 찢어져 보이지 않습니다. □ 안에 들어갈 알맞은 수를 모두 써 보세요.

```
     7          5          3
   × □        × □        × □
  ─────      ─────      ─────
   □  2       □  5       □  2
  □ = 6      □ = 1,3,5,7,9   □ = 4
```

```
   □            □            □
 × 3          × 7          × 7
─────        ─────        ─────
 □ 8          □ 1          □ 9
□ = 6        □ = 3        □ = 7
```

```
     9          9          9
   × □        × □        × □
  ─────      ─────      ─────
     7          4          1
  □ = 3      □ = 6      □ = 9
```

TIP
짝수와의 곱에서 일의 자리 수는 일정한 수가 반복되므로 □ 안에 들어갈 수는 여러 가지 경우가 있으나, 5를 제외한 홀수와의 곱에서 일의 자리 수는 모두 다르므로 □ 안에 들어갈 수는 한 가지씩입니다.

(오른쪽) 빈칸에 알맞은 수를 써넣으세요.

```
   5 8       4 5       1 3
 ×   3     ×   9     ×   6
 ─────     ─────     ─────
 1 7 4     4 0 5       7 8

   2 4       5 8       1 2
 ×   3     ×   9     ×   5
 ─────     ─────     ─────
   7 2     5 2 2       6 0

   6 3       8 5       5 6
 ×   7     ×   5     ×   3
 ─────     ─────     ─────
 4 4 1     4 2 5     1 6 8

   4 8       8 6       5 2
 ×   2     ×   6     ×   2
 ─────     ─────     ─────
   9 6     5 1 6     1 0 4
```

수 상 자

(왼쪽) 빈칸에 알맞은 수를 써넣으세요.

```
   1 7       2 6       2 7
 ×   4     ×   8     ×   3
 ─────     ─────     ─────
   6 8     2 0 8       8 1

   5 3       3 4       7 6
 ×   9     ×   7     ×   5
 ─────     ─────     ─────
 4 7 7     2 3 8     3 8 0

   3 1       4 4       6 9
 ×   9     ×   3     ×   1
 ─────     ─────     ─────
 2 7 9     1 3 2       6 9

   3 7       8 3       2 8
 ×   6     ×   3     ×   8
 ─────     ─────     ─────
 2 2 2     2 4 9     2 2 4
```

(오른쪽) 빈칸에 알맞은 수를 써넣으세요.

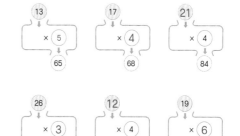

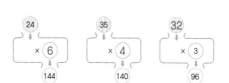

```
13 × 5 = 65        17 × 4 = 68        21 × 4 = 84
26 × 3 = 78        12 × 4 = 48        19 × 6 = 114
24 × 6 = 144       35 × 4 = 140       32 × 3 = 96
```

빈칸에 알맞은 수를 써넣으세요.

```
 21      →  × 5  →   105
 21      →  × 7  →   147
 41      →  × 9  →   369

 32      →  × 5  →   160
 16      →  × 4  →   64
 27      →  × 2  →   54

 19      →  × 5  →   95
 23      →  × 4  →   92
 36      →  × 7  →   252
```

2주

5 일 차 문장제

다음을 읽고 알맞은 곱셈식을 쓰고 답을 구하세요.

승합차 한 대에는 12명이 탈 수 있습니다. 승합차 4대에는 모두 몇 명이 탈 수 있을까요?

식 : 12 × 4 = 48   **48** 명

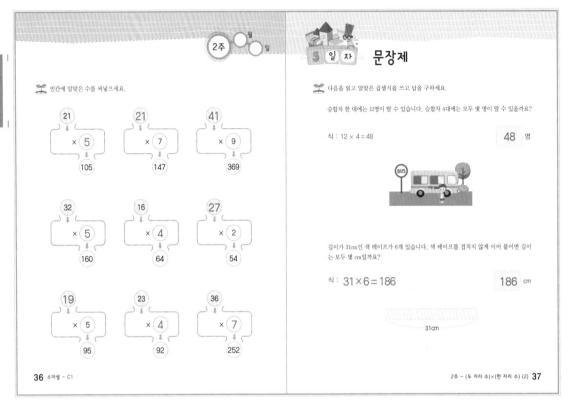

길이가 31cm인 색 테이프가 6개 있습니다. 색 테이프를 겹치지 않게 이어 붙이면 길이는 모두 몇 cm일까요?

식 : 31 × 6 = 186   **186** cm

31cm

신나는 연산!

다음을 읽고 알맞은 곱셈식을 쓰고 답을 구하세요.

우유가 한 상자에 20개씩 들어 있습니다. 딸기 우유 2상자와 바나나 우유 3상자가 있다면 딸기 우유와 바나나 우유는 모두 몇 개일까요?

식 : 20 × 5 = 100   **100** 개

선생님께서 학생들에게 연필 7타와 9자루를 선물로 주려고 합니다. 필요한 연필은 모두 몇 자루일까요?

식 : 12 × 7 = 84, 84 + 9 = 93   **93** 자루

2주

다음을 읽고 알맞은 곱셈식을 쓰고, 답을 구하세요.

민주는 한 봉지에 25개씩 들어 있는 사탕을 3봉지 샀습니다. 민주가 가진 사탕은 모두 몇 개일까요?

식 : 25 × 3 = 75   **75** 개

사과가 한 상자에 32개씩 들어 있습니다. 엄마가 3상자를 사서 3개를 먹었다면 남은 사과는 모두 몇 개일까요?

식 : 32 × 3 = 96, 96 - 3 = 93   **93** 개

책꽂이에 책들이 한 칸에 28권씩 꽂혀 있습니다. 그 중 위인전이 3칸, 동화책이 4칸에 꽂혀 있다면 책꽂이에 꽂혀 있는 책은 모두 몇 권일까요?

식 : 28 × 7 = 196   **196** 권

🌱 다음을 읽고 알맞은 곱셈식을 쓰고, 답을 구하세요.

공책이 한 묶음에 40권씩 6묶음이 있습니다. 공책은 모두 몇 권일까요?

식 : 40×6＝240

240 권

버스 한 대에는 34명이 탈 수 있습니다. 버스 2대에는 모두 몇 명이 탈 수 있을까요?

식 : 34×2＝68

68 명

빨간 주머니에 구슬이 18개씩 9묶음 있습니다. 파란 주머니에는 빨간 주머니보다 구슬이 7개 더 있다면 파란 주머니에 담긴 구슬은 모두 몇 개일까요?

식 : 18×9＝162, 162+7＝169

169 개

---

1 일차   몇백의 곱

🌱 그림을 보고 몇백의 곱을 해 보세요.

100

2

100 + 100 = 200
↓
100 × 2 = 2 0 0

100 + 100 + 100 = 300
↓
100 × 3 = 3 0 0

200 + 200 + 200 = 600
↓
200 × 3 = 6 0 0

500 + 500 = 1000
↓
500 × 2 = 1 0 0 0

400 + 400 + 400 = 1200
↓
400 × 3 = 1 2 0 0

TIP
(몇백)×(몇)의 값은 (몇)×(몇)의 계산 결과 뒤에 0을 2개 붙이면 됩니다.

🌱 ☐ 안에 알맞은 수를 써넣으세요.

200 × 4 = 8 0 0   100 × 7 = 700

300 × 3 = 900   100 × 4 = 400

100 × 6 = 600   200 × 4 = 800

200 × 7 = 1400   400 × 6 = 2400

300 × 5 = 1500   400 × 4 = 1600

200 × 8 = 1600   500 × 3 = 1500

2일차 갈라서 더하기

그림을 보고 몇백 몇십을 갈라서 더하는 방법을 알아보고, 빈칸에 알맞은 수를 써넣으세요.

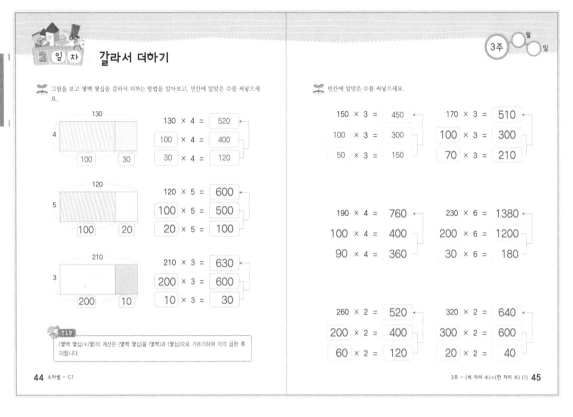

130

4 · 100 · 30

$130 \times 4 = 520$
$100 \times 4 = 400$
$30 \times 4 = 120$

120

5 · 100 · 20

$120 \times 5 = 600$
$100 \times 5 = 500$
$20 \times 5 = 100$

210

3 · 200 · 10

$210 \times 3 = 630$
$200 \times 3 = 600$
$10 \times 3 = 30$

TIP
(몇백 몇십)×(몇)의 계산은 (몇백 몇십)을 (몇백)과 (몇십)으로 가르기하여 각각 곱한 후 더합니다.

44 소마셈 – C1

3주

빈칸에 알맞은 수를 써넣으세요.

$150 \times 3 = 450$　　$170 \times 3 = 510$
$100 \times 3 = 300$　　$100 \times 3 = 300$
$50 \times 3 = 150$　　$70 \times 3 = 210$

$190 \times 4 = 760$　　$230 \times 6 = 1380$
$100 \times 4 = 400$　　$200 \times 6 = 1200$
$90 \times 4 = 360$　　$30 \times 6 = 180$

$260 \times 2 = 520$　　$320 \times 2 = 640$
$200 \times 2 = 400$　　$300 \times 2 = 600$
$60 \times 2 = 120$　　$20 \times 2 = 40$

3주 – (세 자리 수)×(한 자리 수) (1) 45

3주

빈칸에 알맞은 수를 써넣으세요.

$270 \times 4 = 1080$　　$180 \times 6 = 1080$
$200 \times 4 = 800$　　$100 \times 6 = 600$
$70 \times 4 = 280$　　$80 \times 6 = 480$

$220 \times 8 = 1760$　　$350 \times 5 = 1750$
$200 \times 8 = 1600$　　$300 \times 5 = 1500$
$20 \times 8 = 160$　　$50 \times 5 = 250$

$240 \times 5 = 1200$　　$410 \times 3 = 1230$
$200 \times 5 = 1000$　　$400 \times 3 = 1200$
$40 \times 5 = 200$　　$10 \times 3 = 30$

46 소마셈 – C1

3일차 표 만들기

그림을 보고 표를 만들어 곱하는 방법을 알아보세요.

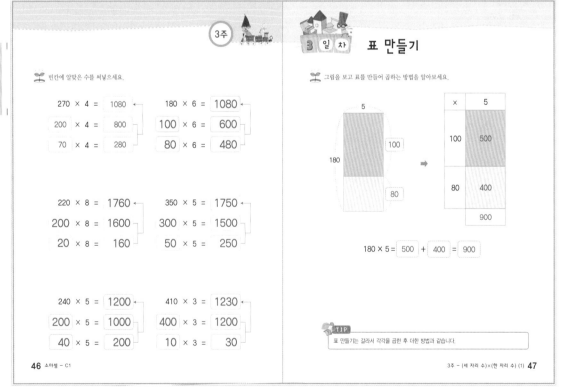

×	5
100	500
80	400
	900

$180 \times 5 = 500 + 400 = 900$

TIP
표 만들기는 갈라서 각각 곱한 후 더한 방법과 같습니다.

3주 – (세 자리 수)×(한 자리 수) (1) 47

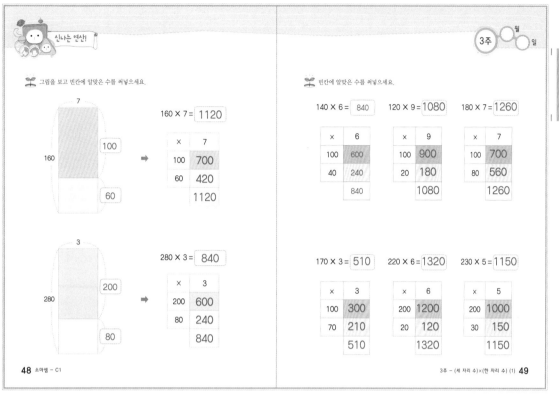

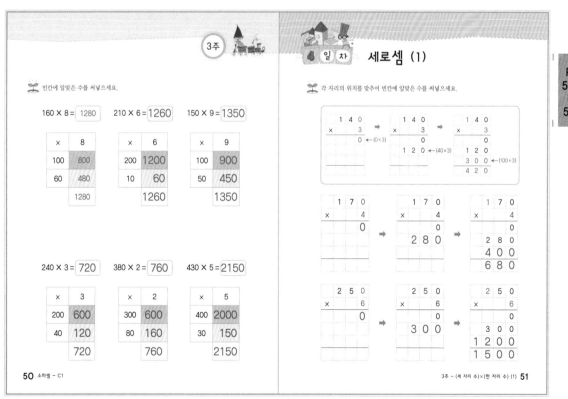

신나는 연산!

3주 일 일

빈칸에 알맞은 수를 써넣으세요.

```
    1 3 0
  ×     6
        0  ←(0×6)
    1 8 0  ←(30×6)
    6 0 0  ←(100×6)
    7 8 0
```

```
    1 7 0
  ×     4
        0
    2 8 0
    4 0 0
    6 8 0
```

```
    2 2 0
  ×     3
        0
      6 0
    6 0 0
    6 6 0
```

```
    1 4 0
  ×     8
        0
    3 2 0
    8 0 0
  1 1 2 0
```

```
    2 5 0
  ×     8
        0
    4 0 0
  1 6 0 0
  2 0 0 0
```

```
    1 8 0
  ×     3
        0
    2 4 0
    3 0 0
    5 4 0
```

```
    1 9 0
  ×     7
        0
    6 3 0
    7 0 0
  1 3 3 0
```

```
    1 6 0
  ×     5
        0
    3 0 0
    5 0 0
    8 0 0
```

```
    2 3 0
  ×     4
        0
    1 2 0
    8 0 0
    9 2 0
```

빈칸에 알맞은 수를 써넣으세요.

```
    2 1 0
  ×     6
        0  ←(0×6)
      6 0  ←(10×6)
  1 2 0 0  ←(200×6)
  1 2 6 0
```

```
    2 3 0
  ×     3
        0
      9 0
    6 0 0
    6 9 0
```

```
    1 8 0
  ×     6
        0
    4 8 0
    6 0 0
  1 0 8 0
```

```
    3 2 0
  ×     4
        0
      8 0
  1 2 0 0
  1 2 8 0
```

```
    2 7 0
  ×     9
        0
    6 3 0
  1 8 0 0
  2 4 3 0
```

```
    3 6 0
  ×     5
        0
    3 0 0
  1 5 0 0
  1 8 0 0
```

```
    2 8 0
  ×     2
        0
    1 6 0
    4 0 0
    5 6 0
```

```
    3 7 0
  ×     7
        0
    4 9 0
  2 1 0 0
  2 5 9 0
```

```
    4 5 0
  ×     8
        0
    4 0 0
  3 2 0 0
  3 6 0 0
```

5 일차 세로셈 (2)

3주 월 일

각 자리의 위치를 맞추어 빈칸에 알맞은 수를 써넣으세요.

```
    2 4 0          2 4 0          2 4 0
  ×     3    →   ×   1 3    →   ×   1 3
        0              2 0          7 2 0
        ↓              ↓            ↓
    0×3=0          4×3=12        2×3+1=7
```

```
    1 2 0          1 2 0          1 2 0
  ×     3    →   ×     3    →   ×     3
        0              6 0          3 6 0
```

```
    2 8 0          2 8 0          2 8 0
  ×     2    →   ×   1 2    →   ×   1 2
        0              6 0          5 6 0
```

TIP
위의 방법은 4일차의 세로셈을 풀이하는 방법과 원리가 같습니다. 받아올림이 있는 경우 올림한 수는 윗자리 수의 곱과 더해서 계산합니다.

빈칸에 알맞은 수를 써넣으세요.

```
    1 8 0          2 8 0          2 1 0
  ×   1 2        ×     3        ×     5
    3 6 0          8 4 0        1 0 5 0
```

```
    1 6 0          3 2 0          4 3 0
  ×     4        ×     9        ×     7
    6 4 0        2 8 8 0        3 0 1 0
```

```
    2 9 0          4 6 0          3 2 0
  ×     3        ×     2        ×     7
    8 7 0          9 2 0        2 2 4 0
```

```
    3 3 0          2 2 0          1 8 0
  ×     8        ×     6        ×     5
  2 6 4 0        1 3 2 0          9 0 0
```

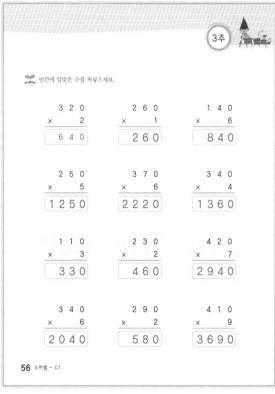

3주

P 56

빈칸에 알맞은 수를 써넣으세요.

3 2 0 × 2 = 6 4 0	2 6 0 × 1 = 2 6 0	1 4 0 × 6 = 8 4 0
2 5 0 × 5 = 1 2 5 0	3 7 0 × 6 = 2 2 2 0	3 4 0 × 4 = 1 3 6 0
1 1 0 × 3 = 3 3 0	2 3 0 × 2 = 4 6 0	4 2 0 × 7 = 2 9 4 0
3 4 0 × 6 = 2 0 4 0	2 9 0 × 2 = 5 8 0	4 1 0 × 9 = 3 6 9 0

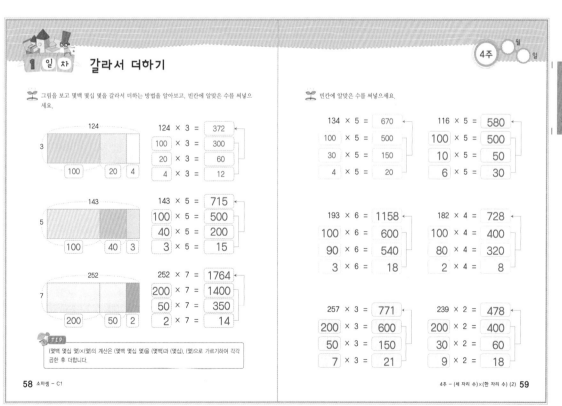

1 일차   갈라서 더하기

4주   월   일

P 58 ~ 59

그림을 보고 몇백 몇십 몇을 갈라서 더하는 방법을 알아보고, 빈칸에 알맞은 수를 써넣으세요.

124
3

124	× 3 =	372
100	× 3 =	300
20	× 3 =	60
4	× 3 =	12

143
5

143	× 5 =	715
100	× 5 =	500
40	× 5 =	200
3	× 5 =	15

252
7

252	× 7 =	1764
200	× 7 =	1400
50	× 7 =	350
2	× 7 =	14

TIP
(몇백 몇십 몇)×(몇)의 계산은 (몇백 몇십 몇)을 (몇백)과 (몇십), (몇)으로 가르기하여 각각 곱한 후 더합니다.

빈칸에 알맞은 수를 써넣으세요.

134	× 5 =	670
100	× 5 =	500
30	× 5 =	150
4	× 5 =	20

116	× 5 =	580
100	× 5 =	500
10	× 5 =	50
6	× 5 =	30

193	× 6 =	1158
100	× 6 =	600
90	× 6 =	540
3	× 6 =	18

182	× 4 =	728
100	× 4 =	400
80	× 4 =	320
2	× 4 =	8

257	× 3 =	771
200	× 3 =	600
50	× 3 =	150
7	× 3 =	21

239	× 2 =	478
200	× 2 =	400
30	× 2 =	60
9	× 2 =	18

4주

🌱 빈칸에 알맞은 수를 써넣으세요.

226 × 6 =	1356	228 × 3 =	684
200 × 6 =	1200	200 × 3 =	600
20 × 6 =	120	20 × 3 =	60
6 × 6 =	36	8 × 3 =	24

153 × 7 =	1071	261 × 4 =	1044
100 × 7 =	700	200 × 4 =	800
50 × 7 =	350	60 × 4 =	240
3 × 7 =	21	1 × 4 =	4

324 × 2 =	648	352 × 5 =	1760
300 × 2 =	600	300 × 5 =	1500
20 × 2 =	40	50 × 5 =	250
4 × 2 =	8	2 × 5 =	10

2일차 표 만들기

🌱 그림을 보고 표를 만들어 곱하는 방법을 알아보세요.

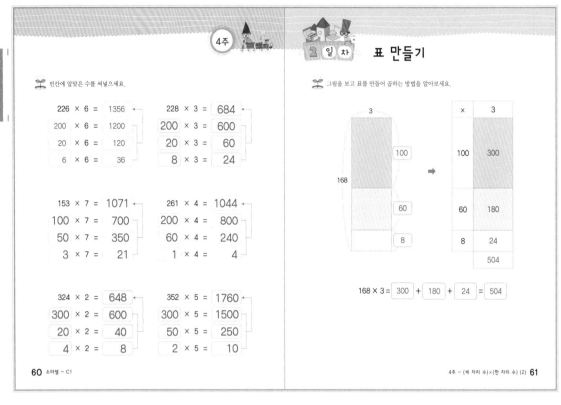

$168 \times 3 = \boxed{300} + \boxed{180} + \boxed{24} = \boxed{504}$

신나는 연산!

🌱 그림을 보고 빈칸에 알맞은 수를 써넣으세요.

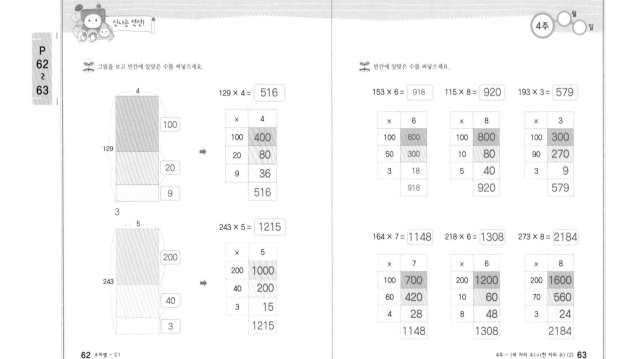

129 × 4 = 516

×	4
100	400
20	80
9	36
	516

243 × 5 = 1215

×	5
200	1000
40	200
3	15
	1215

4주

🌱 빈칸에 알맞은 수를 써넣으세요.

153 × 6 = 918

×	6
100	600
50	300
3	18
	918

115 × 8 = 920

×	8
100	800
10	80
5	40
	920

193 × 3 = 579

×	3
100	300
90	270
3	9
	579

164 × 7 = 1148

×	7
100	700
60	420
4	28
	1148

218 × 6 = 1308

×	6
200	1200
10	60
8	48
	1308

273 × 8 = 2184

×	8
200	1600
70	560
3	24
	2184

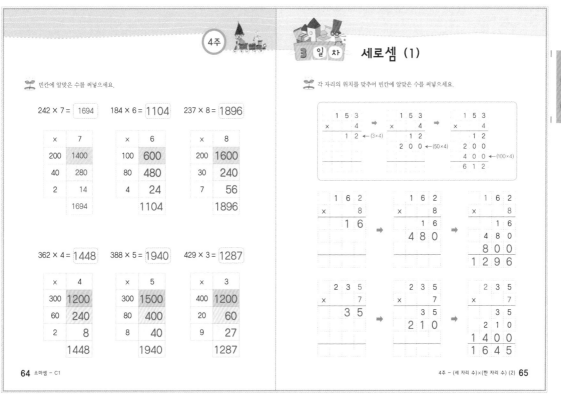

4주

3 일 차 **세로셈 (1)**

빈칸에 알맞은 수를 써넣으세요.

각 자리의 위치를 맞추어 빈칸에 알맞은 수를 써넣으세요.

64 소마셈 - C1

4주 - (세 자리 수)×(한 자리 수) (2) 65

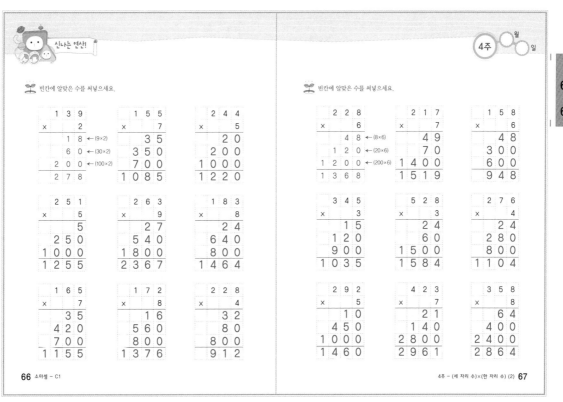

신나는 연산!

4주 월 일

빈칸에 알맞은 수를 써넣으세요.

빈칸에 알맞은 수를 써넣으세요.

66 소마셈 - C1

4주 - (세 자리 수)×(한 자리 수) (2) 67

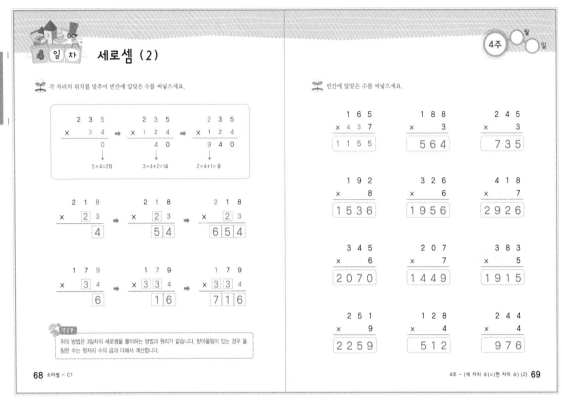

4 일 차 세로셈 (2)

🌱 각 자리의 위치를 맞추어 빈칸에 알맞은 수를 써넣으세요.

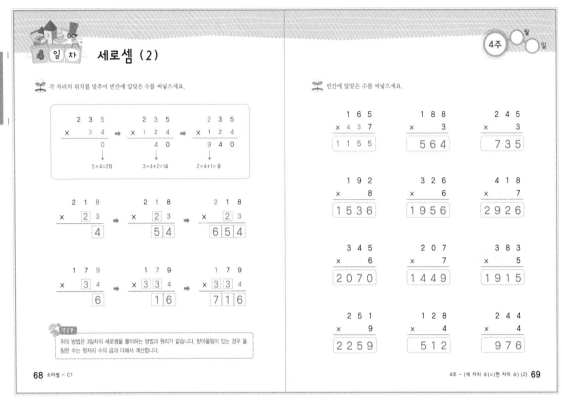

```
  2 3 5        2 3 5         2 3 5
×   2 4   ➡  ×   2 4   ➡   ×   2 4
      0            4 0           9 4 0

  5×4=20      3×4+2=14      2×4+1= 9
```

```
  2 1 8        2 1 8         2 1 8
×   2 3   ➡  ×   2 3   ➡   ×   2 3
      4            5 4           6 5 4
```

```
  1 7 9        1 7 9         1 7 9
×   3 4   ➡  ×   3 4   ➡   ×   3 4
      6            1 6           7 1 6
```

TIP
위의 방법은 3일차의 세로셈을 풀이하는 방법과 원리가 같습니다. 받아올림이 있는 경우 올림한 수는 윗자리 수의 곱과 더해서 계산합니다.

68 소마셈 - C1

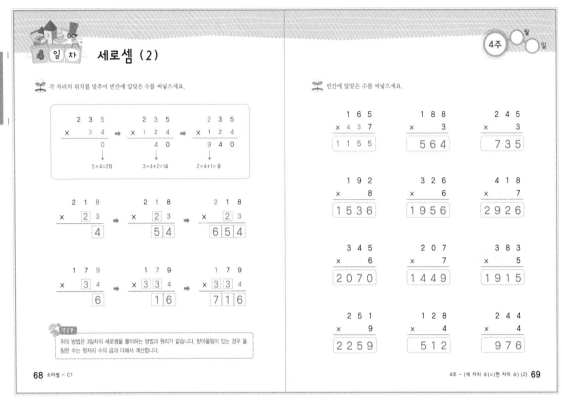

4주 ○일

🌱 빈칸에 알맞은 수를 써넣으세요.

```
  1 6 5        1 8 8         2 4 5
× 4 3 7      ×     3       ×     3
  1 1 5 5        5 6 4         7 3 5
```

```
  1 9 2        3 2 6         4 1 8
×     8      ×     6       ×     7
  1 5 3 6      1 9 5 6       2 9 2 6
```

```
  3 4 5        2 0 7         3 8 3
×     6      ×     7       ×     5
  2 0 7 0      1 4 4 9       1 9 1 5
```

```
  2 5 1        1 2 8         2 4 4
×     9      ×     4       ×     4
  2 2 5 9        5 1 2         9 7 6
```

4주 – (세 자리 수)×(한 자리 수) (2) **69**

4주

🌱 빈칸에 알맞은 수를 써넣으세요.

```
  2 8 3        2 2 3         1 5 7
×   2 3      ×     3       ×     8
    8 4 9        6 6 9       1 2 5 6
```

```
  2 0 9        3 3 8         4 7 6
×     6      ×     2       ×     6
  1 2 5 4        6 7 6       2 8 5 6
```

```
  3 5 7        5 4 9         1 7 6
×     8      ×     2       ×     5
  2 8 5 6      1 0 9 8         8 8 0
```

```
  4 6 3        2 5 6         4 3 1
×     4      ×     8       ×     5
  1 8 5 2      2 0 4 8       2 1 5 5
```

70 소마셈 - C1

---

5 일 차 문장제

🌱 다음을 읽고 알맞은 곱셈식을 쓰고, 답을 구하세요.

꽃이 140송이씩 심어져 있는 화단이 3개 있습니다. 그 중에서 35송이가 시들어서 버렸습니다. 화단에 남은 꽃은 모두 몇 송이일까요?

식 : 140 × 3 = 420, 420−35 = 385

385 송이

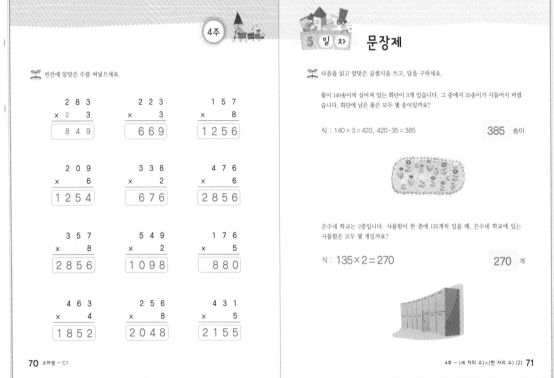

은수네 학교는 2층입니다. 사물함이 한 층에 135개씩 있을 때, 은수네 학교에 있는 사물함은 모두 몇 개일까요?

식 : 135 × 2 = 270

270 개

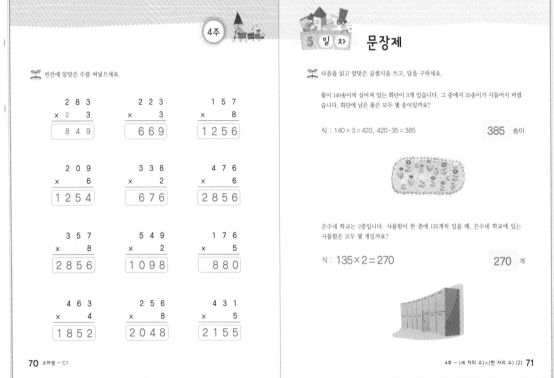

4주 – (세 자리 수)×(한 자리 수) (2) **71**

---

124 소마셈 – C1

🌱 다음을 읽고 알맞은 곱셈식을 쓰고, 답을 구하세요.

민주가 판매할 딸기를 상자에 담았습니다. 큰 딸기는 110개씩 3상자에 담고, 작은 딸기는 한 상자에 130개씩 4상자에 담았습니다. 상자에 담은 딸기는 모두 몇 개일까요?

식 : $110 \times 3 = 330$, $130 \times 4 = 520$,
$330 + 520 = 850$

850 개

성환이는 줄넘기를 하루에 155번씩 합니다. 일주일 동안 성환이는 줄넘기를 몇 번할까요?

식 : $155 \times 7 = 1085$

1085 번

🌱 다음을 읽고 알맞은 곱셈식을 쓰고, 답을 구하세요.

하루 동안 라디오를 184대 만드는 공장이 있습니다. 이 공장에서 4일 동안 만들 수 있는 라디오는 모두 몇 대일까요?

식 : $184 \times 4 = 736$

736 대

수경이는 문방구에서 450원짜리 공책 2권과 250원짜리 지우개 2개를 샀습니다. 수경이가 산 공책과 지우개의 값은 모두 얼마일까요?

식 : $450 \times 2 = 900$, $250 \times 2 = 500$,
$900 + 500 = 1400$

1400 원

버스가 하루에 273대씩 지나가는 정류소가 있습니다. 3일 동안 이 정류소를 지나가는 버스는 모두 몇 대일까요?

식 : $273 \times 3 = 819$

819 대

🌱 다음을 읽고 알맞은 곱셈식을 쓰고, 답을 구하세요.

정규는 구슬을 136개씩 8묶음 가지고 있습니다. 그 중 64개를 친구들에게 나누어 주었습니다. 정규에게 남은 구슬은 모두 몇 개일까요?

식 : $136 \times 8 = 1088$,
$1088 - 64 = 1024$

1024 개

지하철 한 칸에 159명씩, 같은 수의 사람이 6칸에 타고 있습니다. 다음 정거장에서 40명이 더 탔습니다. 지하철에 타고 있는 사람은 모두 몇 명일까요?

식 : $159 \times 6 = 954$, $954 + 40 = 994$

994 명

신문이 한 묶음에 277장씩 5묶음이 포장되어 있습니다. 포장된 신문은 모두 몇 장일까요?

식 : $277 \times 5 = 1385$

1385 장

1주차 (drill) (두 자리 수)×(한 자리 수) (1)

P 76 ~ 77

빈칸에 알맞은 수를 써넣으세요.

16 × 5 = 80 13 × 9 = 117 32 × 3 = 96

×	5
10	50
6	30
	80

×	9
10	90
3	27
	117

×	3
30	90
2	6
	96

22 × 7 = 154 24 × 4 = 96 18 × 8 = 144

×	7
20	140
2	14
	154

×	4
20	80
4	16
	96

×	8
10	80
8	64
	144

76 소마셈 - C1

빈칸에 알맞은 수를 써넣으세요.

24 × 6 = 144 36 × 8 = 288 29 × 9 = 261

×	6
20	120
4	24
	144

×	8
30	240
6	48
	288

×	9
20	180
9	81
	261

42 × 7 = 294 37 × 4 = 148 53 × 3 = 159

×	7
40	280
2	14
	294

×	4
30	120
7	28
	148

×	3
50	150
3	9
	159

Drill - 보충학습 **77**

1주차 (drill)

P 78 ~ 79

빈칸에 알맞은 수를 써넣으세요.

```
  1 4        1 8        2 6
×   9      ×   4      ×   3
  3 6        3 2        1 8
  9 0        4 0        6 0
1 2 6        7 2        7 8
```

```
  2 7        3 2        1 2
×   7      ×   5      ×   8
  4 9        1 0        1 6
1 4 0      1 5 0        8 0
1 8 9      1 6 0        9 6
```

```
  4 4        1 6        2 2
×   3      ×   5      ×   8
  1 2        3 0        1 6
1 2 0        5 0      1 6 0
1 3 2        8 0      1 7 6
```

78 소마셈 - C1

빈칸에 알맞은 수를 써넣으세요.

```
  2 8        2 6        4 7
×   2      ×   7      ×   8
  1 6        4 2        5 6
  4 0      1 4 0      3 2 0
  5 6      1 8 2      3 7 6
```

```
  2 3        3 6        2 8
×   9      ×   6      ×   5
  2 7        3 6        4 0
1 8 0      1 8 0      1 0 0
2 0 7      2 1 6      1 4 0
```

```
  5 9        4 6        7 1
×   3      ×   5      ×   8
  2 7        3 0          8
1 5 0      2 0 0      5 6 0
1 7 7      2 3 0      5 6 8
```

Drill - 보충학습 **79**

빈칸에 알맞은 수를 써넣으세요.

1 6 × 4 = **64**	1 8 × 7 = **126**	2 6 × 3 = **78**
2 4 × 8 = **192**	3 3 × 7 = **231**	3 8 × 4 = **152**
4 2 × 8 = **336**	2 9 × 5 = **145**	3 4 × 5 = **170**
2 8 × 7 = **196**	3 5 × 6 = **210**	4 7 × 3 = **141**

빈칸에 알맞은 수를 써넣으세요.

3 2 × 5 = **160**	2 3 × 8 = **184**	1 8 × 6 = **108**
2 5 × 5 = **125**	5 9 × 7 = **413**	3 6 × 2 = **72**
3 7 × 9 = **333**	2 4 × 6 = **144**	6 2 × 5 = **310**
4 2 × 9 = **378**	3 8 × 8 = **304**	7 1 × 3 = **213**

빈칸에 알맞은 수를 써넣으세요.

1 5 × 6 = **90**	1 4 × 7 = **98**	2 3 × 4 = **92**
2 5 × 8 = **200**	3 4 × 3 = **102**	3 6 × 8 = **288**
4 3 × 4 = **172**	2 8 × 7 = **196**	3 5 × 4 = **140**
2 9 × 6 = **174**	3 3 × 7 = **231**	4 4 × 5 = **220**

빈칸에 알맞은 수를 써넣으세요.

1 8 × 8 = **144**	2 4 × 6 = **144**	3 5 × 4 = **140**
2 3 × 6 = **138**	3 4 × 7 = **238**	3 8 × 9 = **342**
4 2 × 7 = **294**	2 8 × 7 = **196**	3 3 × 6 = **198**
2 9 × 5 = **145**	3 4 × 6 = **204**	4 3 × 6 = **258**

정답

2주차 drill (두 자리 수)×(한 자리 수) (2)

빈칸에 알맞은 수를 써넣으세요.

1 9 × 5 **9 5**	2 7 × 6 **1 6 2**	1 8 × 2 **3 6**
1 2 × 9 **1 0 8**	5 0 × 7 **3 5 0**	4 2 × 5 **2 1 0**
3 3 × 2 **6 6**	2 7 × 3 **8 1**	8 0 × 4 **3 2 0**
2 2 × 9 **1 9 8**	2 5 × 8 **2 0 0**	6 1 × 6 **3 6 6**

빈칸에 알맞은 수를 써넣으세요.

3 7 × 5 **1 8 5**	2 4 × 8 **1 9 2**	2 8 × 2 **5 6**
6 0 × 5 **3 0 0**	2 8 × 8 **2 2 4**	7 0 × 4 **2 8 0**
3 6 × 5 **1 8 0**	2 7 × 3 **8 1**	4 4 × 2 **8 8**
5 2 × 5 **2 6 0**	2 9 × 9 **2 6 1**	1 7 × 7 **1 1 9**

2주차 drill

빈칸에 알맞은 수를 써넣으세요.

4 0 × 3 **1 2 0**	1 3 × 9 **1 1 7**	2 2 × 5 **1 1 0**
3 3 × 6 **1 9 8**	2 2 × 7 **1 5 4**	4 0 × 6 **2 4 0**
3 7 × 5 **1 8 5**	4 8 × 8 **3 8 4**	9 0 × 2 **1 8 0**
3 8 × 4 **1 5 2**	2 3 × 9 **2 0 7**	1 7 × 6 **1 0 2**

빈칸에 알맞은 수를 써넣으세요.

1 8 × 8 **1 4 4**	5 3 × 6 **3 1 8**	6 0 × 6 **3 6 0**
7 2 × 2 **1 4 4**	6 1 × 8 **4 8 8**	5 7 × 4 **2 2 8**
3 3 × 6 **1 9 8**	4 4 × 4 **1 7 6**	1 9 × 9 **1 7 1**
6 2 × 6 **3 7 2**	8 0 × 8 **6 4 0**	5 5 × 4 **2 2 0**

2주차

빈칸에 알맞은 수를 써넣으세요.

$$
\begin{array}{r} 5\ 1 \\ \times\quad 8 \\ \hline 4\ 0\ 8 \end{array}
\qquad
\begin{array}{r} 4\ 3 \\ \times\quad 3 \\ \hline 1\ 2\ 9 \end{array}
\qquad
\begin{array}{r} 5\ 3 \\ \times\quad 5 \\ \hline 2\ 6\ 5 \end{array}
$$

$$
\begin{array}{r} 4\ 5 \\ \times\quad 8 \\ \hline 3\ 6\ 0 \end{array}
\qquad
\begin{array}{r} 2\ 3 \\ \times\quad 6 \\ \hline 1\ 3\ 8 \end{array}
\qquad
\begin{array}{r} 5\ 5 \\ \times\quad 7 \\ \hline 3\ 8\ 5 \end{array}
$$

$$
\begin{array}{r} 1\ 9 \\ \times\quad 3 \\ \hline 5\ 7 \end{array}
\qquad
\begin{array}{r} 6\ 2 \\ \times\quad 6 \\ \hline 3\ 7\ 2 \end{array}
\qquad
\begin{array}{r} 8\ 2 \\ \times\quad 7 \\ \hline 5\ 7\ 4 \end{array}
$$

$$
\begin{array}{r} 5\ 4 \\ \times\quad 4 \\ \hline 2\ 1\ 6 \end{array}
\qquad
\begin{array}{r} 7\ 3 \\ \times\quad 9 \\ \hline 6\ 5\ 7 \end{array}
\qquad
\begin{array}{r} 6\ 5 \\ \times\quad 4 \\ \hline 2\ 6\ 0 \end{array}
$$

빈칸에 알맞은 수를 써넣으세요.

$$
\begin{array}{r} 4\ 2 \\ \times\quad 7 \\ \hline 2\ 9\ 4 \end{array}
\qquad
\begin{array}{r} 5\ 4 \\ \times\quad 6 \\ \hline 3\ 2\ 4 \end{array}
\qquad
\begin{array}{r} 4\ 8 \\ \times\quad 7 \\ \hline 3\ 3\ 6 \end{array}
$$

$$
\begin{array}{r} 2\ 6 \\ \times\quad 5 \\ \hline 1\ 3\ 0 \end{array}
\qquad
\begin{array}{r} 4\ 7 \\ \times\quad 9 \\ \hline 4\ 2\ 3 \end{array}
\qquad
\begin{array}{r} 5\ 3 \\ \times\quad 8 \\ \hline 4\ 2\ 4 \end{array}
$$

$$
\begin{array}{r} 1\ 7 \\ \times\quad 6 \\ \hline 1\ 0\ 2 \end{array}
\qquad
\begin{array}{r} 6\ 3 \\ \times\quad 7 \\ \hline 4\ 4\ 1 \end{array}
\qquad
\begin{array}{r} 8\ 3 \\ \times\quad 6 \\ \hline 4\ 9\ 8 \end{array}
$$

$$
\begin{array}{r} 4\ 5 \\ \times\quad 8 \\ \hline 3\ 6\ 0 \end{array}
\qquad
\begin{array}{r} 7\ 8 \\ \times\quad 6 \\ \hline 4\ 6\ 8 \end{array}
\qquad
\begin{array}{r} 6\ 4 \\ \times\quad 7 \\ \hline 4\ 4\ 8 \end{array}
$$

P 88 ~ 89

2주차

빈칸에 알맞은 수를 써넣으세요.

$$
\begin{array}{r} 6\ 8 \\ \times\quad 3 \\ \hline 2\ 0\ 4 \end{array}
\qquad
\begin{array}{r} 3\ 5 \\ \times\quad 9 \\ \hline 3\ 1\ 5 \end{array}
\qquad
\begin{array}{r} 2\ 3 \\ \times\quad 4 \\ \hline 9\ 2 \end{array}
$$

$$
\begin{array}{r} 1\ 6 \\ \times\quad 4 \\ \hline 6\ 4 \end{array}
\qquad
\begin{array}{r} 1\ 8 \\ \times\quad 9 \\ \hline 1\ 6\ 2 \end{array}
\qquad
\begin{array}{r} 1\ 6 \\ \times\quad 5 \\ \hline 8\ 0 \end{array}
$$

$$
\begin{array}{r} 5\ 3 \\ \times\quad 7 \\ \hline 3\ 7\ 1 \end{array}
\qquad
\begin{array}{r} 7\ 5 \\ \times\quad 5 \\ \hline 3\ 7\ 5 \end{array}
\qquad
\begin{array}{r} 4\ 6 \\ \times\quad 3 \\ \hline 1\ 3\ 8 \end{array}
$$

$$
\begin{array}{r} 2\ 8 \\ \times\quad 2 \\ \hline 5\ 6 \end{array}
\qquad
\begin{array}{r} 5\ 6 \\ \times\quad 6 \\ \hline 3\ 3\ 6 \end{array}
\qquad
\begin{array}{r} 8\ 7 \\ \times\quad 2 \\ \hline 1\ 7\ 4 \end{array}
$$

빈칸에 알맞은 수를 써넣으세요.

$$
\begin{array}{r} 1\ 7 \\ \times\quad 5 \\ \hline 8\ 5 \end{array}
\qquad
\begin{array}{r} 2\ 6 \\ \times\quad 8 \\ \hline 2\ 0\ 8 \end{array}
\qquad
\begin{array}{r} 1\ 7 \\ \times\quad 3 \\ \hline 5\ 1 \end{array}
$$

$$
\begin{array}{r} 4\ 3 \\ \times\quad 9 \\ \hline 3\ 8\ 7 \end{array}
\qquad
\begin{array}{r} 2\ 4 \\ \times\quad 7 \\ \hline 1\ 6\ 8 \end{array}
\qquad
\begin{array}{r} 5\ 6 \\ \times\quad 5 \\ \hline 2\ 8\ 0 \end{array}
$$

$$
\begin{array}{r} 7\ 1 \\ \times\quad 9 \\ \hline 6\ 3\ 9 \end{array}
\qquad
\begin{array}{r} 3\ 4 \\ \times\quad 3 \\ \hline 1\ 0\ 2 \end{array}
\qquad
\begin{array}{r} 9\ 9 \\ \times\quad 1 \\ \hline 9\ 9 \end{array}
$$

$$
\begin{array}{r} 2\ 7 \\ \times\quad 6 \\ \hline 1\ 6\ 2 \end{array}
\qquad
\begin{array}{r} 5\ 3 \\ \times\quad 3 \\ \hline 1\ 5\ 9 \end{array}
\qquad
\begin{array}{r} 1\ 8 \\ \times\quad 8 \\ \hline 1\ 4\ 4 \end{array}
$$

P 90 ~ 91

3주차 (세 자리 수)×(한 자리 수) (1)

빈칸에 알맞은 수를 써넣으세요.

170 × 7 = 1190   240 × 6 = 1440   130 × 9 = 1170

×	7
100	700
70	490
	1190

×	6
200	1200
40	240
	1440

×	9
100	900
30	270
	1170

270 × 4 = 1080   360 × 5 = 1800   470 × 5 = 2350

×	4
200	800
70	280
	1080

×	5
300	1500
60	300
	1800

×	5
400	2000
70	350
	2350

빈칸에 알맞은 수를 써넣으세요.

150 × 9 = 1350   210 × 7 = 1470   180 × 6 = 1080

×	9
100	900
50	450
	1350

×	7
200	1400
10	70
	1470

×	6
100	600
80	480
	1080

240 × 4 = 960   350 × 5 = 1750   490 × 2 = 980

×	4
200	800
40	160
	960

×	5
300	1500
50	250
	1750

×	2
400	800
90	180
	980

3주차

빈칸에 알맞은 수를 써넣으세요.

```
  1 6 0          1 4 0          2 5 0
×     6        ×     7        ×     8
      0                0                0
  3 6 0          2 8 0          4 0 0
6 0 0          7 0 0        1 6 0 0
9 6 0          9 8 0        2 0 0 0
```

```
  2 4 0          1 9 0          1 7 0
×     3        ×     7        ×     8
      0                0                0
1 2 0          6 3 0          5 6 0
6 0 0          7 0 0          8 0 0
7 2 0        1 3 3 0        1 3 6 0
```

```
  2 6 0          2 1 0          3 1 0
×     2        ×     9        ×     7
      0                0                0
1 2 0              9 0              7 0
4 0 0        1 8 0 0        2 1 0 0
5 2 0        1 8 9 0        2 1 7 0
```

빈칸에 알맞은 수를 써넣으세요.

```
  1 8 0          1 6 0          2 7 0
×     7        ×     7        ×     4
      0                0                0
5 6 0          4 2 0          2 8 0
7 0 0          7 0 0          8 0 0
1 2 6 0        1 1 2 0        1 0 8 0
```

```
  1 7 0          2 5 0          2 6 0
×     9        ×     2        ×     8
      0                0                0
6 3 0          1 0 0          4 8 0
9 0 0          4 0 0        1 6 0 0
1 5 3 0          5 0 0        2 0 8 0
```

```
  3 6 0          2 8 0          4 1 0
×     5        ×     9        ×     4
      0                0                0
3 0 0          7 2 0              4 0
1 5 0 0        1 8 0 0        1 6 0 0
1 8 0 0        2 5 2 0        1 6 4 0
```

빈칸에 알맞은 수를 써넣으세요.

```
  1 7 0
×     5
─────────
  8 5 0
```
```
  1 4 0
×     7
─────────
  9 8 0
```
```
  2 3 0
×     8
─────────
1 8 4 0
```

```
  1 9 0
×     2
─────────
  3 8 0
```
```
  2 3 0
×     3
─────────
  6 9 0
```
```
  2 4 0
×     4
─────────
  9 6 0
```

```
  1 8 0
×     5
─────────
  9 0 0
```
```
  2 3 0
×     7
─────────
1 6 1 0
```
```
  3 3 0
×     8
─────────
2 6 4 0
```

```
  2 2 0
×     5
─────────
1 1 0 0
```
```
  2 7 0
×     7
─────────
1 8 9 0
```
```
  4 2 0
×     6
─────────
2 5 2 0
```

빈칸에 알맞은 수를 써넣으세요.

```
  1 9 0
×     6
─────────
1 1 4 0
```
```
  1 8 0
×     7
─────────
1 2 6 0
```
```
  2 3 0
×     9
─────────
2 0 7 0
```

```
  3 7 0
×     5
─────────
1 8 5 0
```
```
  1 3 0
×     2
─────────
  2 6 0
```
```
  2 2 0
×     7
─────────
1 5 4 0
```

```
  1 9 0
×     8
─────────
1 5 2 0
```
```
  3 3 0
×     5
─────────
1 6 5 0
```
```
  3 3 0
×     2
─────────
  6 6 0
```

```
  2 6 0
×     2
─────────
  5 2 0
```
```
  4 3 0
×     7
─────────
3 0 1 0
```
```
  4 5 0
×     6
─────────
2 7 0 0
```

빈칸에 알맞은 수를 써넣으세요.

```
  1 5 0
×     4
─────────
  6 0 0
```
```
  1 3 0
×     7
─────────
  9 1 0
```
```
  2 3 0
×     6
─────────
1 3 8 0
```

```
  1 4 0
×     2
─────────
  2 8 0
```
```
  2 3 0
×     5
─────────
1 1 5 0
```
```
  2 5 0
×     7
─────────
1 7 5 0
```

```
  1 8 0
×     4
─────────
  7 2 0
```
```
  2 2 0
×     6
─────────
1 3 2 0
```
```
  3 3 0
×     7
─────────
2 3 1 0
```

```
  2 3 0
×     6
─────────
1 3 8 0
```
```
  2 8 0
×     5
─────────
1 4 0 0
```
```
  4 2 0
×     5
─────────
2 1 0 0
```

빈칸에 알맞은 수를 써넣으세요.

```
  1 4 0
×     6
─────────
  8 4 0
```
```
  1 7 0
×     5
─────────
  8 5 0
```
```
  2 3 0
×     8
─────────
1 8 4 0
```

```
  3 6 0
×     4
─────────
1 4 4 0
```
```
  1 3 0
×     3
─────────
  3 9 0
```
```
  2 2 0
×     8
─────────
1 7 6 0
```

```
  1 7 0
×     6
─────────
1 0 2 0
```
```
  3 4 0
×     5
─────────
1 7 0 0
```
```
  3 4 0
×     7
─────────
2 3 8 0
```

```
  2 6 0
×     5
─────────
1 3 0 0
```
```
  4 3 0
×     8
─────────
3 4 4 0
```
```
  4 4 0
×     6
─────────
2 6 4 0
```

4주차 (세 자리 수)×(한 자리 수) (2)

빈칸에 알맞은 수를 써넣으세요.

238 × 6 = 1428   178 × 7 = 1246   218 × 8 = 1744

×	6
200	1200
30	180
8	48
	1428

×	7
100	700
70	490
8	56
	1246

×	8
200	1600
10	80
8	64
	1744

367 × 5 = 1835   524 × 6 = 3144   434 × 9 = 3906

×	5
300	1500
60	300
7	35
	1835

×	6
500	3000
20	120
4	24
	3144

×	9
400	3600
30	270
4	36
	3906

빈칸에 알맞은 수를 써넣으세요.

137 × 6 = 822   198 × 2 = 396   241 × 5 = 1205

×	6
100	600
30	180
7	42
	822

×	2
100	200
90	180
8	16
	396

×	5
200	1000
40	200
1	5
	1205

222 × 4 = 888   327 × 3 = 981   432 × 8 = 3456

×	4
200	800
20	80
2	8
	888

×	3
300	900
20	60
7	21
	981

×	8
400	3200
30	240
2	16
	3456

4주차 drill

빈칸에 알맞은 수를 써넣으세요.

```
    1 4 5        1 6 8        2 5 6
×       3    ×       7    ×       4
    1 5           5 6           2 4
  1 2 0         4 2 0         2 0 0
  3 0 0         7 0 0         8 0 0
  4 3 5       1 1 7 6       1 0 2 4

    2 7 3        1 9 2        1 8 4
×       8    ×       7    ×       9
    2 4           1 4           3 6
  5 6 0         6 3 0         7 2 0
1 6 0 0         7 0 0         9 0 0
2 1 8 4       1 3 4 4       1 6 5 6

    3 6 5        2 1 9        3 4 8
×       4    ×       9    ×       4
    2 0           8 1           3 2
  2 4 0           9 0         1 6 0
1 2 0 0       1 8 0 0       1 2 0 0
1 4 6 0       1 9 7 1       1 3 9 2
```

빈칸에 알맞은 수를 써넣으세요.

```
    3 2 4        1 8 7        2 5 6
×       6    ×       7    ×       8
    2 4           4 9           4 8
  1 2 0         5 6 0         4 0 0
1 8 0 0         7 0 0       1 6 0 0
1 9 4 4       1 3 0 9       2 0 4 8

    3 4 9        4 3 6        5 2 7
×       3    ×       5    ×       4
    2 7           3 0           2 8
  1 2 0         1 5 0           8 0
  9 0 0       2 0 0 0       2 0 0 0
1 0 4 7       2 1 8 0       2 1 0 8

    2 8 9        4 6 3        5 5 8
×       8    ×       2    ×       4
    7 2             6           3 2
  6 4 0         1 2 0         2 0 0
1 6 0 0         8 0 0       2 0 0 0
2 3 1 2         9 2 6       2 2 3 2
```

빈칸에 알맞은 수를 써넣으세요.

1 7 6 × 5 **8 8 0**	1 3 8 × 7 **9 6 6**	2 3 9 × 7 **1 6 7 3**
2 4 1 × 9 **2 1 6 9**	3 5 6 × 7 **2 4 9 2**	4 4 8 × 3 **1 3 4 4**
1 4 5 × 8 **1 1 6 0**	2 3 5 × 7 **1 6 4 5**	3 8 2 × 4 **1 5 2 8**
2 6 6 × 5 **1 3 3 0**	4 2 7 × 3 **1 2 8 1**	2 0 6 × 8 **1 6 4 8**

빈칸에 알맞은 수를 써넣으세요.

2 7 7 × 4 **1 1 0 8**	3 1 8 × 8 **2 5 4 4**	1 9 2 × 8 **1 5 3 6**
2 5 6 × 6 **1 5 3 6**	3 2 8 × 3 **9 8 4**	4 2 6 × 7 **2 9 8 2**
3 8 7 × 4 **1 5 4 8**	5 0 9 × 5 **2 5 4 5**	2 8 9 × 7 **2 0 2 3**
4 5 2 × 7 **3 1 6 4**	6 1 2 × 8 **4 8 9 6**	5 3 7 × 2 **1 0 7 4**

빈칸에 알맞은 수를 써넣으세요.

2 5 3 × 6 **1 5 1 8**	3 1 7 × 7 **2 2 1 9**	1 9 3 × 7 **1 3 5 1**
2 4 6 × 7 **1 7 2 2**	3 2 7 × 4 **1 3 0 8**	4 2 5 × 6 **2 5 5 0**
3 7 4 × 2 **7 4 8**	5 8 9 × 4 **2 3 5 6**	2 3 3 × 6 **1 3 9 8**
4 5 3 × 3 **1 3 5 9**	6 2 4 × 7 **4 3 6 8**	5 4 6 × 3 **1 6 3 8**

빈칸에 알맞은 수를 써넣으세요.

2 6 3 × 7 **1 8 4 1**	3 2 9 × 6 **1 9 7 4**	1 7 8 × 5 **8 9 0**
2 4 6 × 3 **7 3 8**	3 1 7 × 8 **2 5 3 6**	4 2 5 × 3 **1 2 7 5**
3 7 2 × 6 **2 2 3 2**	5 1 9 × 6 **3 1 1 4**	2 7 6 × 7 **1 9 3 2**
4 5 3 × 8 **3 6 2 4**	6 1 4 × 7 **4 2 9 8**	5 4 6 × 3 **1 6 3 8**

Note

Note